CIRCUITS DE VÉLO

DÉCOUVERTE DES PLUS BEAUX
VILLAGES DU QUÉBEC

Francine Saint-Laurent

RETIRE DE LA COLLECTION
DE LA
BIBLIOTHÈQUE DE LA VILLE DE MONTRÉAL

BIBLIOTHÈQUE
Côte-des-Neiges
VILLE DE MONTRÉAL

TÊTE[PREMIÈRE]

Nous remercions le Conseil des arts du Canada de l'aide accordée
à notre programme de publication et la SODEC pour son appui
financier en vertu du Programme d'aide aux entreprises du livre
et de l'édition spécialisée.

Nous reconnaissons l'aide financière du gouvernement du Canada
par l'entremise du Fonds du livre du Canada (FLC) pour nos activités
d'édition.

Gouvernement du Québec – Programme de crédit d'impôt pour
l'édition de livres – Gestion SODEC

Conception graphique de la couverture: Gabriel Aldama
Conception typographique: Bruno Ricca
Mise en page: Marie Blanchard
Direction de la production: Marie Lamarre
Révision: Philippe Paré-Moreau
Correction d'épreuves: Jenny-Valérie Roussy

© Francine Saint-Laurent et Tête première, 2014

Dépôt légal – 2e trimestre 2014
Bibliothèque et Archives nationales du Québec
Bibliothèque et Archives Canada

ISBN: papier 9782-924207-19-2 | epub 9782-924207-20-8
        pdf 9782-924207-21-5

Toute reproduction, même partielle, de cet ouvrage est interdite.
Une copie ou reproduction par quelque procédé que ce soit,
photographie, microfilm, bande magnétique, disque ou autre,
constitue une contrefaçon passible des peines prévues par la loi
du 11 mars 1957 sur la protection des droits d'auteur.

Tous droits réservés
Imprimé au Canada

À mon merveilleux compagnon,
Denis Bessette, pour avoir été à mes côtés
lors de l'écriture de ce livre.

F. S.-L.

© Commission de la capitale nationale

Table des matières

© Francine Saint-Laurent

Introduction

Découverte des plus beaux villages du Québec à vélo

Certains villages québécois sont de véritables petits joyaux qui brillent tant par la richesse de leur patrimoine bâti que par leur site magnifique et unique. Voilà pourquoi, en 1998, monsieur Jean-Marie Girardville a créé l'Association des plus beaux villages du Québec, pour nous faire apprécier la joliesse de ces bourgs aux bâtiments anciens, et pour souligner à quel point il importe de préserver ce précieux héritage. Vous y découvrirez de nombreuses belles

© Commission de la capitale nationale

maisons, lesquelles, par leurs styles architecturaux, évoquent l'influence des régimes français et anglais et de la venue des loyalistes. Je vous propose donc de partir à l'aventure au cœur de ces beaux villages et de leurs magnifiques régions en pratiquant un sport de loisir qui connaît une montée fulgurante: le vélo! Les randonnées ici proposées vous feront voyager dans différents coins du Québec et mieux connaître leurs particularités géographiques.

Ce guide vous propose 16 circuits de cyclotourisme variés qui s'adressent autant aux cyclistes néophytes qu'aux plus aguerris! Ces escapades vous offriront l'occasion rêvée de jeter un regard sur l'histoire. Vous aurez peine à croire que les rangs parfois déserts que vous emprunterez étaient autrefois très fréquentés, et qu'il régnait dans ces régions une belle activité: écoles de rang, forges de maréchal-ferrant, laiteries, beurreries, moulins, etc. Si quelques vestiges témoignent encore de ce passé récent, d'autres ont depuis disparu... la nature ayant repris ses droits. Les prairies constellées de fleurs indigènes ou ensauvagées, les îlots de pommiers sauvages qui subsistent sur des terres maintenant en friche enchanteront les

© Denis Bessette

amateurs de sites champêtres. Sur votre route, vous rencontrerez quelques entreprises artisanales, qui offrent de délicieux produits du terroir. Une occasion en or pour les gastronomes. Certains maraîchers vous offriront en kiosque des produits frais du jour et de saison, et vous pourrez même faire quelques petites haltes pour vous adonner à l'autocueillette!

Quelques conseils pratiques

Que faut-il apporter?

Avant de partir, n'oubliez pas votre casque, vos verres fumés, votre écran solaire, votre trousse à outils et votre pompe à vélo. De plus, les épiceries ou les dépanneurs peuvent être rares sur certains circuits. Emportez en quantité suffisante de quoi vous désaltérer ou vous restaurer. Vous aurez en outre l'occasion de découvrir diverses variétés d'oiseaux et de plantes. Un guide sur l'observation d'oiseaux ou sur les plantes du Québec vous aidera à les identifier et à approfondir vos connaissances sur la nature!

Accessoires utiles

L'achat de sacoches de cycliste n'est pas un luxe. Vous pourrez y ranger collations, boissons rafraîchissantes, vêtements ou même, qui sait, y glisser quelques succulents produits régionaux achetés au cours de votre randonnée. Puisque ces sacoches ne sont généralement pas imperméables, il est préférable d'envelopper vêtements ou papiers dans un sac en plastique. Le port de cuissards et de gants capitonnés vous assurera un meilleur confort.

Si un chien est à vos trousses

Le chien n'est pas toujours le meilleur ami des cyclistes. Lorsqu'un chien vous observe, évitez de le regarder dans les yeux, car dans le «code canin», cela signifie que vous désirez l'affronter. Si vous ne pouvez pas éviter un chien qui accourt soudainement vers vous pour vous mordiller les chevilles, le mieux à faire est de descendre de votre vélo et de vous servir de celui-ci comme bouclier, ou encore de brandir votre pompe à vélo. Quelques magasins d'articles de chasse et pêche vendent du poivre de Cayenne en aérosol. Un produit efficace à condition que le vent ne souffle pas de votre côté. Son usage n'est pas illégal.

Les chemins de gravier

Vous aurez à emprunter parfois des chemins non goudronnés. Avant d'entreprendre le circuit de votre choix, prenez le temps de bien l'étudier pour savoir si vous avez le vélo ou les pneus appropriés. Le port de verres fumés est à recommander: ils protègent vos yeux des cailloux et de la poussière projetés par les automobiles ainsi que des rayons UV et des insectes. Néanmoins, ces petits inconvénients seront vite éclipsés par la beauté indescriptible des paysages. D'autant plus que vous aurez le grand plaisir de rouler sur des chemins peu fréquentés, excepté par les gens de la localité.

Les conditions climatiques

Ne vous laissez pas abattre même si la température annoncée n'est pas des plus idéales! Une pluie passagère n'est pas toujours un désagrément pour les cyclistes. Qui sait? Ces journées sportives, où le soleil n'est pas toujours au rendez-vous, vous laisseront peut-être des souvenirs impérissables! Cependant, un taux élevé d'humidité ou un fort vent peuvent sérieusement faire obstacle à votre randonnée. Méfiez-vous des journées caniculaires, car vous pourriez souffrir de coups de chaleur. Voilà pourquoi il est recommandé de boire beaucoup de liquide (de préférence avec une certaine teneur en sel), même si vous n'avez pas soif. Si les journées sont très fraîches, habillez-vous en «pelures d'oignon» et apportez-vous un coupe-vent ou un imperméable léger. Selon Environnement Canada, lorsque les nuages deviennent menaçants et qu'un orage se dessine à l'horizon, il est préférable de se mettre rapidement à l'abri, car la foudre peut frapper

© Yvan Bédard

à plusieurs kilomètres du nuage d'où elle provient. Éloignez-vous de votre vélo, car c'est un objet conducteur (tout comme un tracteur, une tondeuse à gazon, une motocyclette, un bâton de golf ou une canne à pêche). Évitez également de vous approcher des clôtures électriques (vous pourriez recevoir une décharge, même si la foudre a frappé la clôture à un kilomètre plus loin) et des terrains élevés ou à découvert ainsi que des arbres isolés. L'idéal est de trouver refuge à l'intérieur d'un bâtiment. La météo n'est pas infaillible, mais elle vous donnera tout de même un bon aperçu des conditions climatiques prévues à court terme.

Pour connaître les conditions météorologiques avant votre départ:

Environnement Canada
514 283-3010 (Montréal)
819 564-5702 (Sherbrooke)
418 648-7766 (Québec)
www.meteo.gc.ca

© Yvan Bédard

Hébergement

Au Québec, différents types d'hébergement sont offerts aux voyageurs selon les moyens et les goûts de chacun. Il peut s'agir d'hôtels, de motels ou d'auberges. Pour ceux qui désirent passer la nuit dans une famille, il existe la formule «Gîte et auberge du passant». Le camping peut aussi offrir aux cyclotouristes une avenue intéressante et à prix modique! De plus, à la fin de chaque circuit, vous trouverez les coordonnées des bureaux et offices touristiques régionaux. N'oubliez pas qu'il est toujours préférable de réserver, surtout si vous prévoyez partir en escapade durant les vacances de la construction ou lorsqu'une semaine ensoleillée est annoncée.

Location de vélos

Certains magasins d'articles de sport offrent des vélos en location. Pour en savoir davantage, vous pouvez vous renseigner auprès des bureaux et offices touristiques de la région où vous comptez vous rendre ou de Tourisme Québec.

Quelques adresses utiles

Tourisme Québec

Quelle que soit la région où vous prévoyez faire votre randonnée, vous pouvez obtenir des renseignements aux numéros suivants:

- si vous êtes dans la région de Montréal, 514 873-2015;
- si vous êtes au Québec, ailleurs au Canada et aux États-Unis (sans frais), 1 877 BONJOUR (266-5687). www.bonjourquebec.com

Association de l'Agrotourisme et du Tourisme Gourmand du Québec

(Gîtes et auberges du passant au Québec)

514 252-3138

www.terroiretsaveurs.com

Fédération québécoise de camping et de caravaning

514 252-3333

www.fqcc.ca

Association des plus beaux villages du Québec

www.beauxvillages.qc.ca

info@beauxvillages.qc.ca

Bonne randonnée!

© Commission de la capitale nationale

© Francine Saint-Laurent

BAS-
SAINT-LAURENT

© Tourisme Bas-Saint-Laurent

Bas-Saint-Laurent

KAMOURASKA ET SAINT-PASCAL

Circuit de 37,5 km · intermédiaire

Chemins non goudronnés par endroits · pas de dépanneur sur le circuit

Kamouraska, nom amérindien signifiant «là où il y a du jonc au bord de l'eau», est un village au patrimoine architectural et historique très riche. Les premiers occupants vinrent s'y établir vers 1692 à trois kilomètres environ à l'est du village actuel. Les nombreuses inondations obligèrent les habitants à déménager. Encore de nos jours, on peut faire une halte au lieu-dit du «Berceau-de-Kamouraska» qui abrite d'anciennes sépultures. Un triste événement qui a eu des échos jusque dans la littérature et le cinéma a rendu Kamouraska célèbre: l'assassinat du seigneur Achille Taché par le Dr Georges Holmes, le 31 janvier 1839. On a soupçonné Éléonore d'Estimauville d'avoir fait tuer son époux par son prétendu amant, mais elle n'a cependant jamais été formellement reconnue coupable. La ville de Saint-Pascal mérite elle aussi une halte, ne serait-ce que pour son église imposante ornée de magnifiques sculptures de Louis Jobin et dotée d'un orgue Casavant, premier orgue mécanique à trois claviers au Canada.

Cette région qui borde le fleuve saura charmer les «vélomanes» avec sa succession de buttes arrondies et isolées, appelées «monadnocks», ainsi que ses nombreux moulins de l'époque des pionniers. Bonne randonnée!

© Tourisme Bas-Saint-Laurent

CIRCUIT

• Vous partez du terrain de stationnement situé en face de l'église du village de Kamouraska. Sortez du stationnement en tournant à gauche sur l'avenue Morel (132 Est).

• Quelques mètres plus loin, tournez à droite sur la route de Kamouraska (en direction du village de Saint-Pascal). Une bande cyclable a été aménagée.

• À 2,9 km, tournez à gauche sur le rang des Côtes.

• À 7,8 km, vous arrivez au village de Saint-Germain-de-Kamouraska.

• À 8,3 km, vous arrivez à un « T ». À l'arrêt, tournez à gauche sur la rue Principale pour emprunter aussitôt le pittoresque rang du Mississipi (à droite). Renommé pour être l'un des plus beaux rangs du Québec, ce chemin vallonné vous offrira un point de vue magnifique sur le fleuve.

• À 11,3 km, commence une route de gravier.

• À 11,6 km, admirez cette voûte d'arbres qui se dessine devant vous. Remarquez également l'entrée du sentier pédestre des

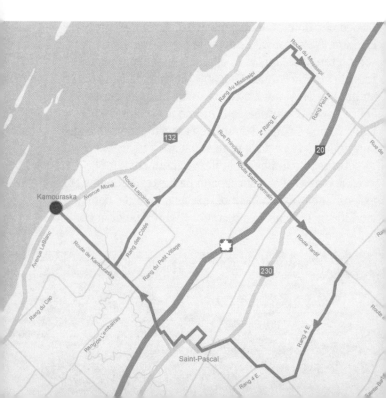

© Tourisme Bas-Saint-Laurent

Cabourons, considéré comme l'un des plus beaux du Québec rural.

• À 12,2 km, vous arrivez à une intersection (point de repère: une boîte aux lettres sur laquelle est indiqué le numéro 186). Tournez à droite sur le rang du Mississipi (route non indiquée). Cette route en lacets vous mène en haut de la montagne. Cette belle montée qui s'étend sur 0,7 km comblera ceux qui désirent affermir leurs jambes.

• À 13,4 km, vous arrivez sur un chemin goudronné.

• À la première intersection, tournez à droite sur le rang 2 Est (chemin non indiqué).

PROPOSITION: vous pouvez également faire un aller-retour de 5 km environ pour vous rendre au village de Sainte-Hélène où vous trouverez une épicerie et des produits régionaux. Pour ce faire, continuez sur le rang du Mississipi (qui deviendra la rue de l'Église) au lieu de tourner sur le rang 2 Est.

• À 15 km environ, vous avez une vue splendide du majestueux fleuve Saint-Laurent qui longe la plaine constellée de fleurs sauvages!

• À 17 km, vous arrivez à un « T ». À l'arrêt, tournez à gauche sur la route de Saint-Germain, en direction de la ville de Saint-Pascal.

Dénivelé du circuit (altimétrie)

m

0 2 4 6 8 10 12 14 16 18 20 22 24 26 28 30 32 34 36 37 km

Min: 2 m   Max: 148 m   Distance: 37,873 km

© Francine Saint-Laurent

Une côte pas trop raide vous attend. Un petit effort!

• À 18,6 km, vous passez sous l'autoroute 20.

• À 19,3 km, vous arrivez à un « T ». Tournez à droite sur la route 230 Ouest, puis tout de suite à gauche sur la route Tardif.

• À 21,7 km, vous arrivez de nouveau à un « T ». À l'arrêt, tournez à droite sur le rang 4 Est.

• À 27 km, vous arrivez à un « T ». À l'arrêt, tournez à droite (en direction de la ville de Saint-Pascal). Quelques mètres plus loin, une jolie descente vous offrira un répit appréciable!

• À 27,6 km environ, profitez du magnifique point de vue sur la région.

• À 28,3 km environ, vous êtes au cœur de Saint-Pascal.

SAVIEZ-VOUS QUE cette ville était connue aussi sous le nom « Capitale du cuir »? Autrefois, on y fabriquait des harnais, des colliers pour chevaux et des couvre-sièges d'autos.

• En continuant votre route, vous arrivez à un « T ». À l'arrêt, tournez à gauche sur la 230 Ouest. Une bande cyclable a été aménagée. Préparez-vous pour la descente!

• À 29,3 km, tournez à droite sur la rue Hudon.

• À 29,5 km, vous arrivez à un « T ». À l'arrêt, tournez à droite sur l'avenue Martin.

• À 30 km, tournez à gauche sur la rue Notre-Dame.

• À 30,4 km, la route fait un crochet. Empruntez l'avenue Patry à votre gauche.

• À 30,9 km, vous arrivez à une intersection. À l'arrêt, tournez à droite sur la rue Taché Nord.

• À 31,1 km, tournez à gauche sur l'avenue de l'Amitié.

• À 31,4 km, vous arrivez à un « T ». Tournez à droite sur la rue Varin.

• À environ 31,9 km, tournez à gauche (en direction de l'autoroute 20).

• À 32 km, à l'arrêt, tournez à droite sur la rue Rochette (en direction de la 20 Ouest – village de Kamouraska). Vous passez pardessus l'autoroute 20.

• À 37,2 km, vous arrivez à un « T ». À l'arrêt, tournez à gauche sur l'avenue Morel (en direction du village de Saint-Denis).

• À 37,5 km, vous arrivez au stationnement. C'est la fin du circuit.

© Tourisme Bas-Saint-Laurent

© Tourisme Bas-Saint-Laurent

ATTRAITS

Kamouraska

- **Site d'interprétation de l'anguille**
  205, avenue Morel • 418 492-3935
- **Musée régional de Kamouraska**
  69, avenue Morel (situé en face de l'église)
  418 492-9783/3144
- **Le centre d'art de Kamouraska**
  (ancien palais de justice)
  111, avenue Morel • 418 492-9458
  www.kamouraska.org
- **Berceau de Kamouraska**
  Route 132 (environ 3 km à l'est du village)

Saint-Germain-de-Kamouraska

- **Sentier pédestre des Cabourons**
  Ce sentier sillonne sur 4 km les collines au sud du rang du Missisipi jusqu'au chemin du même nom.
  http://munsaintgermain.ca/indexFr.asp?numero=91

Saint-Pascal

- **La montagne à Coton**
  Un sentier et des aires de repos ont été aménagés. Au sommet, vous aurez un point de vue magnifique sur le fleuve, les îles, les villages riverains et, par temps clair, sur Charlevoix. La montagne à Coton a été nommée ainsi en raison d'un étrange ermite qui habitait ces lieux. On le surnommait le «père coton», parce qu'il était toujours vêtu de coton blanc. Plusieurs légendes gravitent autour de ce personnage.

- **Le réseau cyclable La route des Moulins**
  Ce réseau vous offre deux parcours qui mettent l'accent sur la beauté des paysages et la richesse du patrimoine bâti de Saint-Pascal. Informez-vous auprès du bureau touristique de la région.

POUR EN SAVOIR PLUS

Tourisme Bas-Saint-Laurent
148, rue Fraser, 2e étage
Rivière-du-Loup (Québec) G5R 1C8
418 867-1272 ou (sans frais)
1 800 563-5268 (au Canada et aux États-Unis)
www.bassaintlaurent.ca
info@bassaintlaurent.ca

Tourisme Kamouraska
Sortie 439, autoroute 20
La Pocatière (Québec) G0R 1Z0
418 856-5040 ou (sans frais)
1 888-856-5040
www.tourismekamouraska.com
info@tourismekamouraska.com

Guide touristique officiel
(Région du Bas-Saint-Laurent)

© Marie Blanc

CANTONS-DE-L'EST

© Marie Blanchard

Cantons-de-l'Est
FRELIGHSBURG
Circuit de 36,9 km • intermédiaire
Gravier fin par endroits • vélo hybride

Cette randonnée à vélo vous enchantera! Le village de Frelighsburg est un joli bourg niché au pied du mont Pinacle. Les cyclistes seront charmés en toutes saisons. Au printemps, cette région de vergers vous ensorcellera par le parfum des pommiers en fleurs qui émaillent gaiement le vert tendre du paysage. L'été, c'est la palette de couleurs pastel qui prédomine. L'automne, les arbres sont panachés d'ocre, de rouge et d'or. Le village doit son nom à un médecin de souche hollandaise, Abram Freligh, arrivé dans cette accueillante contrée en 1800, accompagné de son épouse, de ses 10 enfants, de ses serviteurs, de ses esclaves et de quantité de biens personnels et de marchandises. Ils avaient quitté les États-Unis à bord de 22 voitures à attelage double.

Le charme du village a incité bon nombre d'artistes reconnus à venir s'y installer (peintres, photographes, etc.). Dans le village, quelques petits joyaux vous attendent, notamment l'église anglicane, l'église catholique et le moulin.

© Marie Blanchard

CIRCUIT

- Le trajet part du stationnement du bureau d'information touristique situé à côté de l'hôtel de ville (2, place de l'Hôtel de Ville).

- Quittez le stationnement en tournant à droite et empruntez le petit pont qui enjambe la rivière aux Brochets (237 Sud).

- À 0,2 km, vous arrivez à un « Y ». Gardez votre droite, en direction du village de Saint-Armand. Admirez à votre droite les méandres de la rivière aux Brochets et le majestueux moulin de Frelighsburg. Classé monument historique, ce moulin à grains a été construit par le fils d'Abram Freligh, Richard, en 1839.

- À 0,6 km, une bonne côte vous attend. Ne perdez pas courage! Vos efforts seront récompensés par une vue imprenable sur les contre-forts des Appalaches.

- À 2 km, vous tournez à droite sur le chemin du Moulin-à-Scie (chemin de fin gravier).

- À 3,2 km, à l'arrêt, continuez tout droit et traversez le pont.

- À 3,5 km, vous arrivez à un « Y ». Tournez à droite (237 Est), en direction de Frelighsburg. La route est goudronnée.

- À 4,6 km, tournez à gauche sur le chemin Godbout (chemin de gravier fin). Une longue montée vous attend.

- À 7,7 km environ, vous arrivez sur une route goudronnée.

- À 8,4 km, tournez à gauche sur le chemin Ten Eyck (chemin de

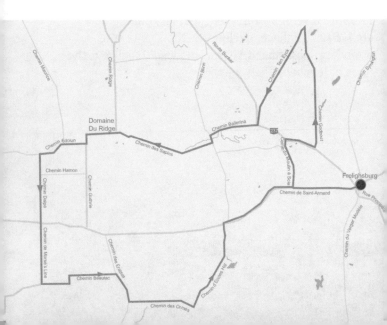

gravier). Admirez à votre droite la magnifique vallée du Saint-Laurent. Les forêts avoisinantes sont habitées par le cerf de Virginie.

• À 10 km, vous empruntez une route magnifique qui passe sous une voûte d'arbres.

• À 11,4 km, vous arrivez à un « T ». À l'arrêt, tournez à gauche (route 237), en direction du village de Frelighsburg. Une route asphaltée vous attend.

• À 11,9 km, vous arrivez à un arrêt. Gardez votre droite. Tournez à droite sur le chemin Ballerina (chemin de gravier).

• À 13,5 km, vous arrivez à un « T ». À l'arrêt, tournez à gauche sur le chemin des Bouleaux, en direction de Saint-Armand Ouest. Quelques mètres plus loin, empruntez le petit pont qui enjambe la rivière aux Brochets et tournez à droite sur le chemin des Sapins, en direction du village de Bedford (chemin de gravier).

• À 16,4 km, vous arrivez sur une route asphaltée.

• À 16,9 km, vous arrivez à une intersection. Continuez tout droit sur le chemin Guthrie.

• À 18 km, tournez à droite sur le chemin Edouin.

• À 18,7 km, continuez tout droit sur le chemin Edouin.

• À 19 km, vous voilà devant le plus petit pont couvert du Québec (le pont Guthrie bâti en 1845) qui mesure à peine 2,9 m de hauteur et 15 m de longueur.

• À 19,7 km, tournez à gauche sur le chemin Dalpé.

• À 21,7 km, vous rencontrez un « + ». À l'arrêt, continuez tout droit sur le chemin de Morse's Line.

• À 23,6 km, vous arrivez à un « T ». À l'arrêt, tournez à gauche sur le chemin Beaulac (chemin de gravier).

• À 26,3 km, vous tombez de nouveau sur un « T ». À l'arrêt, tournez à droite sur le chemin des Érables. La route est goudronnée.

• À 27,2 km, tournez à gauche sur le chemin des Ormes, une petite route de gravier.

• À 29,4 km, vous arrivez à un « T ».

Un petit détour aller-retour de 1,2 km s'impose.

En effet, en tournant à droite sur le chemin d'Eccles Hill, vous déboucherez sur une plaine marquée par

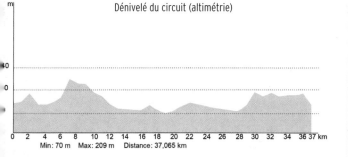

Dénivelé du circuit (altimétrie)

0   2   4   6   8   10   12   14   16   18   20   22   24   26   28   30   32   34   36 37 km
Min: 70 m   Max: 209 m   Distance: 37,065 km

l'histoire. Dans la turbulence des années 1860 est né un groupe de vétérans de la guerre civile américaine, composé de révolutionnaires irlandais-américains et connu sous le nom de la confrérie des Féniens. Ces derniers croyaient que pour libérer l'Irlande de l'emprise britannique, ils devaient en premier lieu envahir le Canada et forcer les Britanniques à laisser les Irlandais se gouverner eux-mêmes. Ils ont fait des incursions au Québec, en Ontario, au Manitoba et dans les Maritimes. Certains Féniens auraient assiégé Frelighsburg (1866-1870). Cette menace a même joué un rôle dans la décision des provinces maritimes de se joindre à la Confédération. Vous aurez également l'occasion de voir une pierre commémorative en l'honneur des volontaires canadiens qui sont venus repousser l'invasion des Féniens.

• Si vous préférez vous en tenir à l'itinéraire principal, tournez alors à gauche sur le chemin d'Eccles Hill.

À l'époque des incursions des Féniens vivait sur le chemin d'Eccles Hill une vieille femme appelée Margaret Vincent. Tous les jours, elle empruntait cette route pour aller chercher de l'eau. Des soldats canadiens qui s'étaient embusqués l'auraient sommée de s'arrêter. Hélas, la dame, sourde, n'a jamais entendu leur ordre. La croyant de connivence avec les Féniens, la troupe a fait feu. Cette vieille dame a été tuée tout près de la maison située au 82, chemin d'Eccles Hill.

• À 32,2 km, vous arrivez à un « T » (chemin de Saint-Armand – chemin d'Eccles Hill). Tournez à droite. La route est asphaltée.

• À 34,3 km, une longue montée et une bonne descente vous attendent!

• À 36,3 km, vous entrez dans le village de Frelighsburg.

• À 36,7 km, vous arrivez à un arrêt. Tournez à gauche sur la rue Principale.

• À 36,9 km, vous arrivez au stationnement du bureau de l'information touristique. Fin du circuit!

© Francine Saint-Laurent

ATTRAITS

- **Le monument commémorant l'invasion manquée des Féniens**
- **Le Festiv'Art de Frelighsburg**
  Une exposition d'arts visuels qui se tient durant la fin de semaine de la fête du Travail.
  450 298-5558 • www.festivart.org

© Festiv'Art de Frelighsbu

POUR EN SAVOIR PLUS

Tourisme Cantons-de-l'Est
20, rue Don-Bosco Sud
Sherbrooke (Québec) J1L 1W4
819 820-2020 ou (sans frais)
1 800 355-5755 (au Canada
et aux États-Unis)
www.cantonsdelest.com
info@atrce.com

**Bureau d'information touristique
de Frelighsburg**
1, place de l'Hôtel de Ville
450 298-5630 (de mai à octobre)
www.village.frelighsburg.qc.ca

Guide touristique régional officiel
(Région des Cantons-de-l'Est)

REMERCIEMENT
Merci à Yvan Turcotte, qui m'a aidée
à préparer ce magnifique trajet.

© Denis Bessette

Cantons-de-l'Est
HATLEY ET WAY'S MILLS
Circuit de 32,4 km • intermédiaire à difficile

La plupart des chemins ne sont pas goudronnés • vélo hybride
pas de dépanneur sur le circuit

Vous serez étonné par la beauté des petits hameaux
comme Hatley et Way's Mills, au parfum de la Nouvelle-
Angleterre, nichés dans une région verdoyante. Hatley
a été autrefois un petit centre industriel très actif:
scierie, meunerie, commerce de la potasse et fabrication de whisky. L'église St. James (1827) est le plus
vieux temple anglican des Cantons-de-l'Est. À quelques
mètres de ce bâtiment religieux de style néogothique
se trouve le St. James Parish Hall (l'ancienne académie
Charleston) où s'entraînèrent les membres de la milice
qui ont combattu les Patriotes lors de la rébellion de
1837. Ce circuit vous permettra de découvrir la beauté
des paysages estriens et des points de vue surprenants
sur les Appalaches.

© Association des plus beaux villages du Québec

CIRCUIT

• Le trajet commence au stationnement (en forme de « U ») de l'église anglicane St. James (située au 98, rue Main) dans le village de Hatley, qui était appelé autrefois le village de Charleston (point de repère: le monument aux morts situé en face du terrain du temple érigé en mémoire de tous les gens de la région qui sont tombés au cours de la Première Guerre mondiale).

• Quittez le stationnement en tournant à droite sur la rue Main, qui deviendra chemin Kingscroft.

• À 1,5 km, vous arrivez sur un chemin de gravier qui vous mènera en pleine campagne, dans un décor des plus bucoliques.

• À 5 km, vous arrivez sur une route goudronnée.

• À 5,2 km environ, vous voilà au village de Kingscroft. Roulez en direction du village de Way's Mills.

Prenez le temps d'écouter madame Cécile-Dessaint-Veilleux – l'un des personnages colorés de la Voie des pionniers – raconter l'histoire de Kingscroft grâce à un appareil audio incorporé à une structure découpée dans un panneau d'acier corten. Point de repère: sous les arbres qui bordent le terrain de l'église catholique de Barnston-Ouest au 3035, chemin de Kingscroft.

• À 7,1 km, vous arrivez à un « + ». À l'arrêt, continuez tout droit (toujours en direction du village de Way's Mills) sur le chemin Holmes. Faites attention en traversant la route 141.

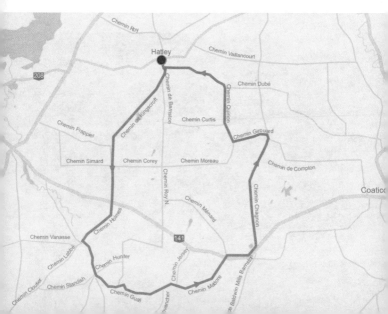

© TCC / Stéphane Lemire

• À 8,4 km, vous découvrirez la grange ronde Stanley-Holmes (1907) – classée monument historique – sur un terrain agricole (point de repère: derrière la maison Holmhurst, située au 2523, chemin Holmes).

• À 8,7 km, une belle petite descente vous attend.

• À 9,5 km environ, en somme au premier « + » que vous rencontrerez, tournez à gauche à l'arrêt, sur le chemin Way's Mills (chemin non indiqué), en direction de Way's Mills.

Avant d'arriver au village de Way's Mills, vous remarquerez l'entrée du sentier pédestre Onès Cloutier.

• À 10,4 km, vous arrivez à la charmante localité de Way's Mills constituée de trois ponts, de deux églises et d'une vingtaine de maisons.

Prenez le temps d'écouter monsieur Daniel Way – l'un des personnages colorés de la Voie des pionniers – raconter l'histoire des anciens moulins qui ont été établis sur les bords de la rivière Niger grâce à un appareil audio incorporé à une structure découpée dans un panneau d'acier corten. En effet, autour de la petite communauté se trouvaient autrefois un moulin à moudre, un moulin à carder et

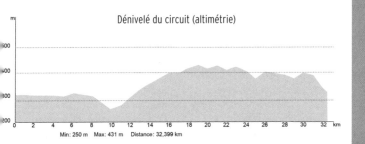

Dénivelé du circuit (altimétrie)

Min: 250 m   Max: 431 m   Distance: 32,399 km

© TCE / Stéphane Lemire

une scierie. On y trouvait aussi une manufacture de rouets et de métiers. Point de repère: juste à côté du centre communautaire situé au 2081, chemin Way's Mills.

Remarquez aussi, au cœur du village, l'ancienne caserne de pompiers. La tour permettait de suspendre les boyaux dans le but de les faire sécher et d'observer s'il y avait des incendies au loin. Vous serez charmé par le cachet de cet endroit, où rien ne semble troubler la tranquillité.

• À 11,2 km environ, deux petites églises se dressent devant vous. Aussitôt après avoir traversé le pont qui enjambe la rivière Niger, tournez à gauche sur le chemin Madore (point de repère: les deux églises).

Remarquez la maison située au 698, chemin Madore. Elle abritait l'une des anciennes familles du village, la famille L.S. Way, qui a immigré du Vermont et qui a laissé son nom au village.

• À 11,4 km (c'est-à-dire quelques mètres plus loin), vous arrivez à un « Y ». Gardez votre gauche sur le chemin Madore (en direction du village de Barnston; point de repère: vous traverserez un pont plus loin).

• À 11,5 km, début d'un chemin de gravier fin. Vous amorcerez sur plus de 2 km une très longue pente pas trop raide.

• À 13,5 km, vous arrivez à une intersection (chemin Madore – chemin Guay). Continuez sur le chemin Madore. Aussitôt que vous aurez traversé un pont (quelques mètres plus loin), vous déboucherez sur une route asphaltée.

• À 16 km, vous devez gravir une petite côte pour ensuite amorcer une descente.

• À 18,2 km, vous arrivez à un « + ». À l'arrêt, tournez à droite sur la route 141 Sud, en direction de Barnston-Coaticook.

• À 19,1 km, vous arrivez à un « Y ». Gardez votre gauche (suivre l'indication 141 Sud). En somme, n'entrez pas dans le village de Barnston.

• À 19,9 km, vous arrivez à un « + ». Tournez à gauche sur le chemin Chagnon (chemin de gravier).

• À 21 km environ, faites une petite halte pour admirer à la fois la vallée magnifique et les Appalaches qui vous encerclent.

• À 22 km environ, préparez-vous à grimper une bonne côte. Vos efforts seront cependant couronnés par le splendide point de vue qui vous attend en haut.

• À 24,8 km environ, vous arrivez à un « T ». Tournez à gauche sur le chemin Girouard – chemin Labbé.

• Cent mètres plus loin, tournez à gauche sur le chemin Girouard.

• À 26,3 km, c'est parti pour une jolie descente.

• À 26,7 km, vous arrivez à un « T ». À l'arrêt, tournez à droite sur le chemin Moreau.

• À 27,4 km, vous arrivez à un « Y » (chemin Curtis – chemin Quirion). Tournez à droite sur le chemin Quirion.

• À 29,1 km, vous arrivez à un « T ». À l'arrêt, tournez à gauche sur le chemin Dubé (qui deviendra plus tard le chemin Bowen).

• À 30 km environ, vous avez une bonne côte à grimper suivie d'une longue descente vers le village.

• À 32,1 km, vous arrivez à un « T ». À l'arrêt, tournez à droite sur le chemin Main, en direction du village de Hatley (début d'un chemin goudronné).

• À 32,4 km, vous arrivez au stationnement de l'église St. James. Fin du circuit.

© Denis Bessette

© TCE / Stéphane Lemire

ATTRAITS

- **L'église anglicane St. James (1827)**
  98, rue Main (Hatley)
  www.patrimoine-religieux.qc.ca/fr/pdf/documents/
  EglisesanglicanestjamesdeHatley.pdf

- **Le St. James Parish Hall (1830)**
  (l'ancienne académie Charleston)
  Situé à côté de l'église anglicane St. James.

- **Voie des Pionniers**
  Circuit permettant de découvrir des personnages colorés racontant leur époque et l'histoire de leur village à
  l'aide d'un dispositif sonore. Le circuit peut être télé-
  chargé et imprimé.
  www.voiedespionniers.com/fr/carte/index.shtml

- **La grange ronde Stanley-Holmes**
  Située au 2523, chemin Holmes

- **Le sentier nature Tomifobia**
  Piste pédestre et cyclable permettant de découvrir des tourbières et marais ainsi que les animaux et oiseaux qui les fréquentent. Le départ se fait à côté du kiosque d'information touristique à Ayer's Cliff.
  http://pistescyclables.ca/Cantons/Tomifobia.htm

- **Le Sentier pédestre et cyclable Onès Cloutier**
  D'une longueur de 1,1 km.
  http://barnston-ouest.ca/fr/patrimoine_culture/sentier.php

POUR EN SAVOIR PLUS

Tourisme Cantons-de-l'Est
20, rue Don-Bosco Sud
Sherbrooke (Québec) J1L 1W4
819 820-2020 ou (sans frais)
1 800 355-5755 (au Canada et aux États-Unis)
www.cantonsdelest.com
info@atrce.com

Guide touristique régional officiel
(Région des Cantons-de-l'Est)

REMERCIEMENTS
Merci à Diane Brisson, propriétaire du gîte du passant À la Cornemuse, ainsi qu'à Jinny Dufour et à Éric Garand, propriétaires du restaurant Plaisir gourmand, pour leur chaleureux accueil.

Gîte du passant À la Cornemuse
1044, Massawippi
North Hatley (Québec) J0B 2C0
819 842-1573
www.cornemuse.qc.ca/fr/accueil/
info@cornemuse.qc.ca

Plaisir gourmand
Restaurant et traiteur
2225, route 143
Hatley (Québec) J0B 4B0
819 838-1061
www.plaisirgourmand.com
info@plaisirgourmand.com

MUSÉE MISSISQUOI MUSEUM

© Francine Saint-Laurent

Cantons-de-l'Est

MYSTIC ET STANBRIDGE EAST

Circuit de 37,7 km • facile

Chemins non goudronnés par endroits

Vous tomberez rapidement sous le charme de Mystic, qui compte parmi les hameaux les plus pittoresques du Québec, voire du Canada. Les débuts de la colonisation de ce charmant lieu datent de 1810. De 1868 à 1897, Mystic connaît un essor économique important grâce à Alexander Walbridge, inventeur et riche fabricant qui met sur pied une fonderie et un atelier de travail du métal, entre autres choses. L'ancien magasin général, qui a été converti en restaurant, auberge et chocolaterie, a conservé son caractère ancien. L'un des attraits majeurs de Mystic est la grange à 12 côtés qui a été construite dans les années 1880. Cette grange classée monument historique abrite, à l'heure actuelle, un musée.

© Francine Saint-Laurent

CIRCUIT

• Le trajet commence au stationnement de la grange Walbridge situé en face d'une maison sise au 158, chemin de Mystic. (Veuillez noter que la fermeture de la porte d'entrée du stationnement est à 18 h.)

• Quittez le stationnement en tournant à droite.

• À 0,1 km, tournez à gauche sur le chemin Duhamel.

• À 0,4 km, vous arrivez à un « + ». À l'arrêt, continuez tout droit sur le chemin Duhamel – Riceburg, en direction du village de Stanbridge East (attention en traversant la route 235, car le trafic est parfois dense). Cette route vous permettra d'admirer par moments les méandres de la rivière aux Brochets.

• À 5,3 km, vous arrivez à un « + » (intersection du chemin de Riceburg et du chemin Cooke). À l'arrêt, continuez tout droit toujours en direction du village de Stanbridge East.

• À 7,2 km, vous arrivez à un « T ». À l'arrêt, tournez à droite sur le chemin Maple. Vous voilà au village de Stanbridge East.

• À 7,5 km, vous arrivez à une intersection.

Une petite halte s'impose au musée Missisquoi logé dans un ancien

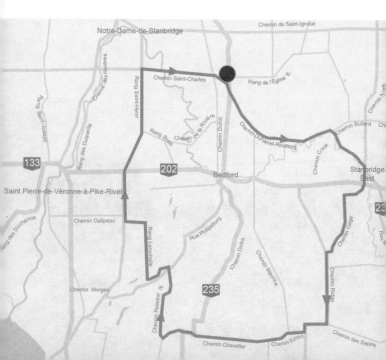

moulin à broyer le grain qui a été construit en 1830. On peut y voir notamment des objets anciens qui ont été utilisés dans le quotidien par les habitants de la région. Une aire de pique-nique est aménagée sur le terrain du musée qui borde la rivière aux Brochets. Voilà l'occasion rêvée de se prélasser avant de reprendre la route.

• À l'arrêt, continuez tout droit sur le chemin Maple – Caleb Tree et traversez le pont qui enjambe la rivière aux Brochets pour vous diriger vers la municipalité de Bedford.

• À 7,9 km, vous arrivez à un « + ». À l'arrêt, continuez tout droit sur le chemin Gage. Faites attention en traversant la route 202. Vous avez une petite côte à grimper.

• À 9,5 km environ commence une route de gravier fin.

• À 11,2 km, vous arrivez à un « T ».

Légèrement à votre droite se dresse la chapelle de pierre de Stanbridge Ridge (1842). Quelques panneaux d'interprétation installés devant l'église expliquent l'historique de ce bâtiment.

• À l'arrêt, tournez à gauche sur le chemin Ridge (route asphaltée), qui est parsemé de vignobles

incontournables de la Route des vins de Brome-Missisquoi.

• À 12,7 km, vous plongez sous une magnifique voûte d'arbres.

• À 14 km, vous arrivez à un « T ». À l'arrêt, tournez à droite sur le chemin Guthrie.

• À 14,8 km, vous devez amorcer une courbe accentuée.

• À 15,2 km, tournez à droite sur le chemin Édoin (qui deviendra plus tard le chemin Chevalier.)

• À 15,8 km, vous arrivez à une intersection (chemin Édoin – rang des Maurice). Continuez tout droit sur le chemin Édoin.

• À 16,1 km, vous traversez le plus court pont couvert du Québec. Le pont Guthrie qui a été construit en 1845 mesure en effet 15,2 m de longueur.

• 16,7 km, vous arrivez à une intersection (chemin Chevalier – chemin Dalpé). Continuez tout droit sur le chemin Chevalier Est.

• À 19,6 km, vous arrivez à une intersection (chemin Chevalier – chemin Dutch [route 235]). À l'arrêt, maintenez votre gauche sur le chemin Chevalier.

Dénivelé du circuit (altimétrie)

Min: 42 m   Max: 121 m   Distance: 38,432 km

• À 20,1 km, vous arrivez à un petit carrefour. Maintenez la droite sur le chemin Chevalier Ouest.

• À 21 km, vous croisez le chemin Pelletier Nord. Continuez tout droit.

• À 21,1 km, vous arrivez devant un chemin privé qui mène à la ferme Missiska, une entreprise laitière reconnue pour la qualité de son lait. Tournez à droite sur le chemin Chevalier (chemin non indiqué).

• À 22,5 km, le chemin Chevalier change de nom pour devenir le chemin Dupuis (commence une route de gravier).

• À 24,2 km, vous arrivez à un « T ». À l'arrêt, tournez à gauche sur le chemin de Philipsburg (une route goudronnée).

• À 25,3 km, vous arrivez à une intersection. Tournez à droite sur le rang Larochelle (chemin de gravier).

• Quelques mètres plus loin à votre droite se dresse l'usine de chaux de Bedford.

• À 27,5 km, vous arrivez à un « T ». À l'arrêt, tournez à gauche sur le chemin Corriveau.

• À 28,2 km, vous arrivez à un « T ». À l'arrêt, tournez à droite sur le rang Saint-Henri (route asphaltée).

• À 29,7 km, vous arrivez à une intersection (rang Saint-Henri – rue Principale [de Stanbridge Station]).

Continuez tout droit sur le rang Saint-Henri.

• À 30,2 km, vous arrivez à un « + ». Continuez tout droit sur le rang Saint-Henri Nord (soyez prudent en traversant la route 202).

• À 33,2 km, vous arrivez au village de Notre-Dame-de-Stanbridge. Cette municipalité a déjà abrité une briqueterie. Malgré sa brève existence, certaines constructions anciennes témoignent encore de l'activité de cette petite industrie par leurs couleurs très locales.

• À 34,2 km, vous arrivez à un « + ». Tournez à droite sur le rang Saint-Charles.

• À 35,2 km, vous traversez un pont qui enjambe la rivière aux Brochets.

• À 36,4 km, vous arrivez à un « + » (rang Saint-Charles – rang de l'Ange-Gardien). Continuez sur le rang Saint-Charles (repère: vous traversez un chemin de fer plusieurs mètres plus loin).

• À 37,2 km, vous arrivez à un « T ». À l'arrêt, tournez à gauche sur le chemin Walbridge.

• À 37,6 km, vous arrivez à un « T ». À l'arrêt, tournez à droite sur le chemin de Mystic.

• À 37,7 km, vous arrivez à votre destination. C'est la fin du circuit!

© Marie Blanchard

ATTRAITS

- **La grange Walbridge**
  189, chemin de Mystic
  Mystic (Saint-Ignace-de-Stanbridge) (Québec) J0J 1Y0
  450 248-3153
  www.museemissisquoi.ca/f3.html
  info@museemissisquoi.ca

- **Musée Missisquoi**
  2, rue River
  Stanbridge East (Québec) J0J 2H0
  450 248-3153
  www.museemissisquoi.ca/f3.html
  info@museemissisquoi.ca

© Francine Saint-Laurent

POUR EN SAVOIR PLUS

Tourisme Cantons-de-l'Est
20, rue Don-Bosco Sud
Sherbrooke (Québec) J1L 1W4
819 820-2020 ou (sans frais)
1 800 355-5755 (au Canada
et aux États-Unis)
www.cantonsdelest.com
info@atrce.com

Guide touristique régional officiel
(Région des Cantons-de-l'Est)

REMERCIEMENT
Merci à André Demers de la Galerie
Relais des Arts (Standbridge East)
pour m'avoir conseillé quelques
belles routes à intégrer dans
ce circuit.

© Francine Saint-Laurent

Cantons-de-l'Est
STANBRIDGE EAST, MYSTIC ET BEDFORD

Circuit de 37,9 km • facile

Chemins non goudronnés par endroits

Puisque la région est très jolie, voici une autre proposition de circuit qui vous permettra de connaître davantage ce coin de pays par d'autres routes de campagne. Le circuit commence, cette fois-ci, à Stanbridge East, un petit village au charme anglo-saxon des plus charmants. Vous pourrez admirer les clochers de l'Église anglicane (1860) et de l'Église unie (1844) qui se dressent fièrement au cœur de ce magnifique hameau. La rivière aux Brochets traverse paisiblement la jolie agglomération et caresse sur son passage les fondations de l'ancien moulin Cornell (1830) qui abrite à présent le musée Missisquoi. Cette rivière fournissait autrefois l'énergie hydraulique nécessaire au fonctionnement du moulin. La région est particulièrement magnifique durant la saison automnale quand les feuillus arborent leur livrée couleur de feu! Les premiers occupants à s'y établir furent d'anciens colons américains, à qui l'on octroya ces terres pour les remercier d'être restés fidèles à la Couronne britannique durant la révolution américaine. Quelques maisons témoignent encore de l'époque où l'industrie jouait un rôle important. C'est aujourd'hui une région très agricole. Cette escapade à vélo vous permettra de découvrir des points de vue magnifiques sur les Appalaches.

CIRCUIT

• Le trajet commence au stationnement du musée Missisquoi (un ancien moulin), situé au 2, rue River – chemin Rivière, au village de Stanbridge East.

• Quittez le stationnement en tournant à gauche.

• Quelques mètres plus loin, vous arrivez à un « T ». À l'arrêt, tournez à droite sur la rue Maple (en direction de la ville de Farnham).

• À 0,4 km environ, tournez à gauche sur le chemin de Riceburg.

• À 1 km environ, votre route enjambe la rivière aux Brochets. (Gardez bien l'œil ouvert, car le cerf de Virginie abonde dans les forêts avoisinantes.) Vous suivrez sur quelques kilomètres les méandres de la petite rivière qui serpente dans ce paysage enchanteur.

• À 2,2 km, vous arrivez à un « + » (chemin Cooke/Bullard et chemin de Riceburg). À l'arrêt, continuez tout droit sur le chemin de Riceburg (en direction de la ville de Farnham).

• À 7,2 km, vous arrivez à une intersection de routes cantonales. À l'arrêt, continuez tout droit sur le chemin Duhamel (attention en traversant la route provinciale 235, car le trafic est parfois dense).

• À 7,5 km environ, vous arrivez dans un joli hameau appelé Mystic.

• Au « T », tournez à droite sur le chemin de Mystic. À votre gauche, vous découvrirez une grange dodécagonale qui constitue l'un des principaux attraits de cet endroit.

• À 7,9 km, vous arrivez à une intersection. À l'arrêt, tournez à gauche sur le chemin Walbridge.

• À 8,3 km, nouvelle intersection. Tournez à droite sur le chemin Saint-Charles.

• Quelques mètres plus loin, vous traversez une voie ferrée.

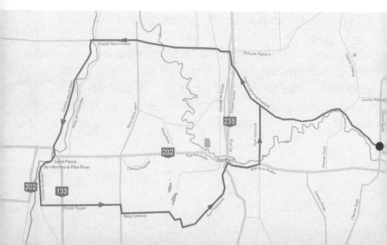

© Francine Saint-Laurent

Attention, les trains n'annoncent pas toujours leur arrivée.

• À 11,4 km, vous arrivez à un « + » (rang Saint-Henri – chemin Saint-Charles). À l'arrêt, continuez tout droit sur le chemin Saint-Charles.

• À 13 km, vous traversez un pont couvert qui enjambe la rivière aux Brochets – le pont Des Rivières – construit en 1884.

SAVIEZ-VOUS QU'on installait des toitures au-dessus des ponts pour protéger le plancher de bois de la neige et des rigueurs du climat ? On pratiquait des ouvertures de chaque côté pour laisser pénétrer la lumière, sinon certains chevaux auraient refusé de franchir un corridor aussi obscur. C'est ce qui explique pourquoi ces ouvertures latérales étaient faites à la hauteur de la tête d'un cheval.

• Quelques mètres plus loin, vous arrivez à un « + ». Tournez à gauche sur le chemin Des Rivières (en direction du village de Saint-Pierre-de-Véronne-à-Pike-River). Faites attention, car certains automobilistes roulent vite sur cette route.

• À 17 km environ, vous arrivez au village de Saint-Pierre-de-Véronne-à-Pike-River.

Dénivelé du circuit (altimétrie)

m

0 2 4 6 8 10 12 14 16 18 20 22 24 26 28 30 32 34 36 37 km

Min: 30 m   Max: 83 m   Distance: 37,160 km

© Francine Saint-Laurent

Cet endroit est caractérisé par la présence de nombreux immigrants originaires de Belgique, de Suisse et de Pologne.

• À 17,5 km, vous arrivez à un « T ». À l'arrêt, tournez à gauche (soyez prudent en traversant la route provinciale 202 Est – 133 Sud). Dirigez-vous vers le centre du village.

• À peine quelques mètres plus loin, tournez à droite sur le chemin du Moulin (point de repère: chemin en face de l'église). Profitez de l'occasion pour admirer l'église du village (1907) au gabarit imposant.

• À 19,7 km, immédiatement après la route Langlois – Tougas, tournez à gauche sur le chemin Tougas (chemin de fin gravier); point de repère: il y a une croix de chemin.

• À 20,5 km, vous arrivez à un « T ». À l'arrêt, traversez la route provinciale 133 (faites très attention, car il y a beaucoup de circulation sur cette route) et empruntez presque en face de vous (légèrement à votre gauche) le chemin Galipeau (chemin de gravier).

• À 22,8 km, vous arrivez à un « T ». À l'arrêt, tournez à droite sur le rang Saint-Henri (chemin goudronné).

• À 23,6 km, tournez à gauche à la première intersection que vous allez rencontrer (chemin Corriveau). Vous amorcerez une succession de petites montées.

• À 23,7 km, vous arrivez à une intersection (chemin Corriveau – chemin Larochelle). Continuez tout droit sur le chemin Corriveau.

• À 24,9 km, vous passez à côté d'une carrière où l'on extrait une chaux d'une grande pureté. À cet endroit se trouvait autrefois le cimetière privé de la famille de Caleb Corey, un ancien notable du coin. Après la découverte d'un riche gisement de pierre calcaire par les géologues, le cimetière a été déménagé sur le chemin Ridge dans le village de Stanbridge East.

• À 25,5 km environ, une magnifique voûte d'arbres se dresse sur votre route.

• À 25,8 km, vous arrivez à une intersection. À l'arrêt, tournez à gauche sur la rue de Philipsburg (route non indiquée), en direction de la ville de Bedford. Le chemin est goudronné.

• À 28,8 km environ, une fois arrivé à Bedford, empruntez la route 202

© Francine Saint-Laurent

Est – rue de la Rivière (en direction de la ville de Cowansville).

• À l'arrêt, tournez à droite sur la route 202 Est – rue de la Rivière.

• À 30,4 km, tournez à gauche sur la rue Victoria Nord et passez le pont appelé Victoria qui traverse la rivière aux Brochets (en direction de la ville de Farnham; point de repère: en face, la rue s'appelle Victoria Sud).

• À 32,2 km environ, vous arrivez à un « T ». À l'arrêt, tournez à droite sur le chemin Duhamel – de Riceburg (en direction du village de Stanbridge East).

• À 34,7 km, vous arrivez à un « + » (chemins Cooke, Bullard et de Riceburg). Continuez tout droit sur le chemin de Riceburg.

• À 37,6 km, vous arrivez à un « T ». À l'arrêt, tournez à droite sur la rue Maple.

• À 37,9 km, tournez à gauche sur la rue River – chemin Rivière. Vous arrivez au stationnement du musée. Fin du circuit.

© Francine Saint-Laurent

ATTRAITS

- **La grange Walbridge**
  189, chemin de Mystic
  Mystic (Saint-Ignace-de-Stanbridge) (Québec) J0J 1Y0
  450 248-3153
  www.museemissisquoi.ca/f3.html
  info@museemissisquoi.ca

- **Musée Missisquoi**
  2, rue River
  Stanbridge East (Québec) J0J 2H0
  450 248-3153
  www.museemissisquoi.ca/f3.html
  info@museemissisquoi.ca

© Francine Saint-Laurent

POUR EN SAVOIR PLUS

Tourisme Cantons-de-l'Est
20, rue Don-Bosco Sud
Sherbrooke (Québec) J1L 1W4
819 820-2020 ou (sans frais)
1 800 355-5755 (au Canada
et aux États-Unis)
www.cantonsdelest.com
info@atrce.com

Guide touristique régional officiel
(Région des Cantons-de-l'Est)

© TCE / Stéphane Lemire

Cantons-de-l'Est

STANSTEAD, BEEBE PLAIN, ROCK ISLAND, GRANITEVILLE ET GEORGEVILLE

Circuit de 59,3 km • intermédiaire à difficile

Chemins non goudronnés par endroits

Peu connue des touristes, cette région frontalière des Cantons-de-l'Est recèle de nombreux trésors architecturaux, sans oublier la splendeur des Appalaches qui surplombent le lac Memphrémagog. Les quelques localités qui parsèment cette région sont connues pour leurs magnifiques résidences de l'époque loyaliste, exceptionnellement bien préservées. Saviez-vous que vers 1830-1850, Rock Island constituait un centre industriel plus important que Sherbrooke? Ce qui fait surtout la particularité de cette région, c'est que certains villages et petites villes sont à cheval sur la frontière canado-américaine. En 1798, un dénommé Samuel Pomeroy (Massachusetts) vint s'établir au bord de la rivière Tomifobia. Sur ces terres, il construisit une habitation sur la frontière séparant le Vermont du Québec. Il délimita cette frontière en peignant une ligne blanche sur le plancher. Plusieurs habitants québécois lui emboîtèrent le pas. Lorsqu'ils avaient accumulé trop de dettes aux États-Unis, ils pouvaient quitter le pays en franchissant tout simplement une porte. On appelle *line-houses* ces habitations traversées par la ligne frontière. Saviez-vous qu'une grande partie des pierres tombales qu'on trouve dans tout le Canada sont taillées dans le granit extrait des carrières des environs? Vous noterez également un peu partout les pierres de granit qui recouvrent les maisons et qui proviennent de la région. C'est en 1995 que la ville de Stanstead a été formée en fusionnant les municipalités de Stanstead Plain, de Rock Island et de Beebe Plain.

CIRCUIT

• Le trajet commence au stationnement de l'église du Sacré-Cœur (un édifice en briques rouges), sise au 645, rue Dufferin à Stanstead.

• Quittez le stationnement en tournant à droite.

Dès le départ, l'architecture de certaines résidences bourgeoises du XIXᵉ siècle qui bordent la rue Dufferin vous éblouira. Une petite halte s'impose au Musée Colby-Curtis (535, rue Dufferin). Ce bâtiment recouvert de granit gris – dont

l'architecture s'inspire du style néorenaissance – témoigne de la prospérité économique qui régnait dans cette région au siècle dernier par sa riche collection, entre autres, de meubles et d'œuvres d'art.

• À 0,7 km, jetez un regard particulier sur la résidence Butters (1866) sise au 470, rue Dufferin, qui révèle le goût de l'époque pour une architecture où les courants américains et anglais s'entremêlaient. Le style s'inspirait des résidences de Boston.

© TCE / Stéphane Lemire

• À 0,9 km, vous passez devant le collège de Stanstead; un bâtiment typique par son architecture de style géorgien propre aux campus américains.

Cet établissement scolaire jouit d'une réputation qui dépasse les frontières. Il en coûte aux parents plusieurs milliers de dollars par année pour envoyer un enfant au collège de Stanstead, et c'est sans compter l'achat de l'uniforme et le prix de la pension, qui ne sont pas bon marché!

• À 1,4 km, vous arrivez à un « + ». À l'arrêt, tournez à gauche sur le boulevard Notre-Dame Ouest (qui se trouve immédiatement après la côte). À peine quelques mètres plus loin, tournez à droite sur la rue Baxter et continuez tout droit sur la rue Church.

À l'angle des rues Church et Cordeau se dresse l'édifice de l'opéra et de la bibliothèque Haskell, construit en 1904. La frontière traverse le bâtiment en diagonale. La scène de l'opéra se trouve au Canada alors que la plupart des spectateurs sont assis en terre américaine. Quant aux volumes,

Dénivelé du circuit (altimétrie)

Min: 209 m   Max: 374 m   Distance: 60,063 km

© TCE / Stéphane Lemire

ils se trouvent au Canada et le comptoir des emprunts, aux États-Unis. Cet édifice est une réplique en miniature de l'ancien opéra de Boston. Il fut classé monument historique à la fois par le Canada et par les États-Unis en 1977.

• À 1,8 km, descendez la ruelle Cordeau.

Si vous désirez faire un petit tour au village de Derby Line, dans le Vermont, tournez alors à gauche sur la rue Dufferin.

• Toutefois, si vous décidez de rester fidèle au plan de route, tournez à droite sur la rue Dufferin pour traverser le petit pont qui enjambe la rivière Tomifobia. Après le pont, vous pouvez signaler votre présence aux douaniers canadiens.

Vous remarquerez que la ligne frontalière zigzague un peu partout dans le village. Selon la rumeur, les arpenteurs de l'époque se seraient enivrés au whisky de pomme de terre avant de faire leur besogne.

• À l'arrêt sur la rue Dufferin, tournez à gauche sur la rue Railroad – 247 Nord (qui deviendra la rue Canusa), en direction de Beebe Plain. La route longe en partie la paisible rivière Tomifobia.

Plus loin, à votre gauche, vous découvrirez l'usine McInnes (120, rue Railroad), la plus ancienne entreprise manufacturière d'engrais naturels au Québec, occupant une partie de ce vieux bâtiment qui abritait autrefois une usine d'outils.

PROPOSITION: à environ 3,2 km, vous pouvez emprunter la piste cyclable de Stanstead. Pour ce faire, tournez à droite sur la rue Tilton. Quelques mètres plus loin, vous découvrirez la piste cyclable à votre gauche. À environ 5,9 km, à la sortie de la piste cyclable, tournez à droite sur la 247 (en direction nord.)

• À environ 4,8 km, la rue Canusa (Canada-USA) sur laquelle vous roulez est particulière. Le côté sud de la rue appartient aux États-Unis et le côté nord, au Canada!

• À 5,5 km, tournez à droite sur la rue Principale – 247 Nord (qui deviendra plus tard le chemin Griffin et le chemin Narrows).

• À 11 km environ se profile dans le paysage le majestueux mont Owl's Head. Bien que la 247 Nord soit paisible, faites malgré tout preuve de vigilance!

Cette route vallonnée est renommée pour ses magnifiques tunnels d'arbres, particulièrement dans le coin d'Applegrove. Plus loin apparaîtra à votre droite la baie Fitch.

• À 15,3 km, vous découvrirez Bleu Lavande, le plus grand producteur de lavande du pays.

• À 18,7 km environ, vous profitez d'un magnifique point de vue de la rivière Magog.

• À 19,5 km environ, vous arrivez au village de Fitch Bay.

• À 19,7 km, vous arrivez à un « + ». Tournez à gauche sur le chemin Sheldon – 247 Nord, en direction du village de Georgeville.

• Quelques mètres plus loin, sur votre droite, une aire de pique-nique a été aménagée dans le parc de Fitch Bay. Pourquoi ne pas faire une petite halte?

• À 20 km environ, vous avez une bonne côte à grimper. Excellent petit exercice cardiovasculaire!

• À 24,2 km, vous arrivez à un « T ». Tournez à droite sur le chemin Channel – 247 Nord.

• À 26 km, vous voilà au village de Georgeville.

• À la première intersection entrant au village, tournez à gauche sur le chemin de Magoon Point situé tout juste à côté de la chapelle anglicane (1849) construite en planches rouges (point de repère: en face se trouve le bâtiment Murray Memorial Centre). Une jolie montée vous attend. Pédalez ferme, c'est bon pour la santé! Plusieurs mètres plus loin commence la route de gravier (un gravier très fin).

Le village de Georgeville, construit sur les rives du lac Memphrémagog, a servi de cadre au tournage du film *Le déclin de l'empire américain*, de Denys Arcand. Le magasin général et les auberges valent le coup d'œil. Des restaurants typiques vous proposent des menus légers.

• À environ 28,3 km vous attend une jolie descente. Attachez bien votre casque de vélo!

• À 30 km environ, une vue splendide du lac Memphrémagog s'offre à vos yeux.

Vous découvrirez en suivant les lacets de ce magnifique chemin de montagne la grande beauté du paysage estrien.

• À 31 km environ, une bonne côte vous oblige à forcer sur les pédales!

• À 32,8 km, tournez à gauche sur le chemin Camber.

• À 33,4 km, vous avez une bonne côte à grimper.

• À 34,8 km, vous arrivez à une intersection. Tournez à gauche sur le chemin Jones.

- À 36,3 km, vous arrivez à un « + ». À l'arrêt, tournez à droite sur le chemin Merrill (en direction du village de Fitch Bay). Ne freinez pas avec les pieds! Vous risqueriez de perdre vos semelles, car une bonne et longue descente vous attend.

- Après 37 km, vous arrivez à une intersection. Tournez à gauche sur Arrow Head (un chemin pavé).

- À 37,5 km, vous arrivez à un « T ». À l'arrêt, tournez à droite sur la 247 Sud – chemin Narrow (en direction de Beebe Plain et de Rock Island).

Vous allez découvrir au cours de ce parcours un petit pont couvert (1881). Puisque les intempéries hâtaient le pourrissement du bois, les ponts couverts semblaient pouvoir se préserver plus longtemps. De plus, savez-vous pourquoi on munissait les ponts couverts de petites fenêtres? Il aurait été impossible de faire entrer certains chevaux dans un endroit trop obscur. Voilà pourquoi ces ouvertures étaient construites à la hauteur de la tête d'un cheval. Vous pouvez pique-niquer dans ce cadre enchanteur.

Moins d'un kilomètre plus loin, c'est-à-dire à 38,3 km, tournez à droite sur le chemin Marlington (en direction du village de Graniteville; point de repère: le chemin Marlington se trouve dans la montée, peu après le pont couvert).

- À 39,2 km, tournez à droite sur le chemin de Cedarville. (Ce chemin en gravier parsemé de côtes est non seulement magnifique, mais il vous donne en plus l'occasion de passer sous des tunnels d'arbres.)

- À 44,6 km environ, faites une halte sur le petit pont en bois pour jouir d'une vue imprenable sur le lac Memphrémagog, qui se déploie devant vous.

- À 49,2 km, vous arrivez au village de Graniteville. À l'intersection, tournez à droite sur le chemin Marlington en direction de la petite ville de Stanstead.

SAVIEZ-VOUS QUE des édifices importants comme l'abbaye Saint-Benoît-du-Lac et l'édifice Sun Life de Montréal ont été construits avec le granit qui provient d'ici? En effet, c'est à cet endroit que l'on retrouve la plus grande carrière de granit du Canada.

- À 50,7 km, tournez à droite sur le chemin de North Derby.

- À 52,8 km environ, vous arrivez à Stanstead. Dès que vous rencontrerez un « T », tournez à droite sur la rue Junction.

- À 53,5 km, vous arrivez à un « T ». Tournez à droite sur la rue Principale – 247 Sud.

- À 54,2 km, aux douanes, tournez à gauche et roulez à nouveau sur la rue Canusa (suivez la direction 247 Sud).

- À 57,8 km environ, tournez à gauche sur la rue Principale – Main Road (143 Nord), qui deviendra la rue Dufferin.

- À 59,3 km, vous arrivez au stationnement de l'église du Sacré-Cœur. Fin de la promenade!

ATTRAITS

- **Le Musée Colby-Curtis**
  535, rue Dufferin, Stanstead (Québec) J0B 3E0
  819 876-7322
  www.colbycurtis.ca
  info@colbycurtis.ca

- **Exposition agricole de Bedford**
  (se déroule au mois d'août)
  Pour obtenir plus d'information:
  Société d'Agriculture de Missisquoi
  16, Philippe-Côté, Bedford (Québec) J0J 1A0
  450 248-2817
  www.expobedford.com

- **Bleu Lavande**
  891, chemin Narrow (route 247)
  Standstead (Fitch Bay) (Québec) J0B 3E0
  1 888-876-5851
  www.bleulavande.ca • info@bleulavande.ca

- **Le sentier nature Tomifobia**
  Cette piste pédestre et cyclable vous permet de découvrir des tourbières et marais ainsi que les animaux et oiseaux qui les fréquentent. Le départ se fait à côté du kiosque d'information touristique à Ayer's Cliff.
  http://pistescyclables.ca/Cantons/Tomifobia.htm

POUR EN SAVOIR PLUS

Tourisme Cantons-de-l'Est
20, rue Don-Bosco Sud
Sherbrooke (Québec) J1L 1W4
819 820-2020 ou (sans frais)
1 800 355-5755 (au Canada
et aux États-Unis)
www.cantonsdelest.com
info@atrce.com

Guide touristique régional officiel
(Région des Cantons-de-l'Est)

© Denis Bessette

CHAUDIÈRE-APPALACHES

© Municipalité de Lotbinière

Chaudière-Appalaches
LOTBINIÈRE
Circuit de 51 km • facile

Chemins non goudronnés par endroits

Situé à proximité de Québec et à moins de trois heures de Montréal, Lotbinière est un charmant village tourné vers le fleuve et niché dans la région enchanteresse de la Côte-du-Sud. Les amateurs d'architecture seront enchantés de visiter ce village, dont le centre est protégé par la Loi sur les biens culturels. La région de Chaudière-Appalaches offre une mosaïque de sites superbes aux confins des berges du Saint-Laurent. Certains villages ont été le lieu de résidence de navigateurs et pilotes célèbres. Si vous visitez les cimetières, vous découvrirez des pierres tombales sur lesquelles est fièrement gravé le mot «capitaine» sous le nom du défunt. De plus, à la bonne saison, vous assisterez à l'arrivée magique des oies blanches qui déferlent sur Montmagny et sur l'archipel de L'Isle-aux-Grues. La région de Chaudière-Appalaches est aussi une contrée riche en demeures historiques et en moulins ancestraux, derniers vestiges de la meunerie et de ses traditions. Sans oublier les nombreux manoirs seigneuriaux qui évoquent le régime de la Nouvelle-France. Voilà un magnifique circuit qui plaira aux amateurs d'histoire et de randonnées à vélo.

© Municipalité de Lotbinière

CIRCUIT

• Le trajet part du stationnement du Centre Chartier-de-Lotbinière (7440, rue Marie-Victorin) dans le village de Lotbinière.

• Tournez à droite sur la rue Marie-Victorin en direction de Saint-Nicolet. Plusieurs mètres plus loin, contemplez l'imposante église Saint-Louis construite en 1818 et dessinée par François Baillargé. Une visite à l'intérieur s'impose, car la décoration est fort représentative de l'art religieux traditionnel québécois.

• À 0,8 km, à votre gauche, vous découvrirez l'ancienne chapelle de procession du village.

Une plaque sur la façade honore la mémoire du grand poète Léon-Pamphile Lemay, natif de ce coin de pays.

• Ouvrez l'œil et le bon; la vigilance est de mise sur la 132.

• À 1,8 km, tournez à gauche sur la route Bédard (route non indiquée) en direction du rang Saint-François (chemin de gravier).

Jetez un petit coup d'œil sur les terres boisées, car elles sont fréquentées par le cerf de Virginie. Peut-être aurez-vous l'occasion d'en surprendre quelques-uns.

• À 5 km, vous arrivez à un « + ». À l'arrêt, tournez à droite sur le

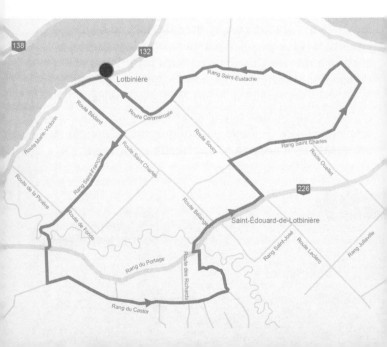

© Municipalité de Lotbinière

rang Saint-François (en direction du Moulin du Portage).

• À 11 km, vous arrivez au Moulin du Portage (1816), ancien moulin à farine construit sur un site enchanteur. Une aire de pique-nique a été aménagée près de la grande rivière du Chêne.

• Après avoir repris la route et traversé le pont à une voie, mettez-y du cœur pour la jolie grimpette qui vous attend.

• À 11,8 km, vous arrivez à un « T ». Tournez à droite sur la 226 Ouest (chemin asphalté).

• Quelques mètres plus loin, tournez à gauche sur la route du Castor Ouest.

• À 13,6 km, vous tombez à nouveau sur un « T ». Tournez à gauche sur le rang Castor.

• À 20 km environ, vous arrivez à un virage assez raide. Gardez votre gauche.

• À 22,2 km, vous arrivez à un « T ». À l'arrêt, tournez à droite sur la 226 Est – rang du Portage (en direction du village de Saint-Édouard).

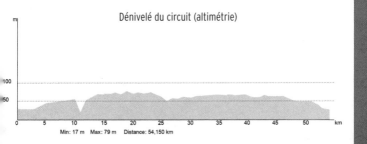

Dénivelé du circuit (altimétrie)

Min: 17 m   Max: 79 m   Distance: 54,150 km

• À 25 km environ, vous entrez dans le village de Saint-Édouard. Au feu rouge clignotant, tournez à gauche sur la route Soucy (en direction de Lotbinière).

• À 29,1 km, vous arrivez à un « + ». Tournez à droite sur le rang Saint-Charles Est.

• À 36,4 km, vous arrivez à un « T ». Tournez à gauche sur le rang Petit-Village.

• À 37,8 km, c'est encore un « T ». À l'arrêt, tournez à gauche sur la route Saint-Eustache.

• À 46 km, tournez à gauche sur le rang Saint-Jean-Baptiste, en direction du rang Saint-François.

• À 47,3 km, vous arrivez à un « T ». À l'arrêt, tournez à droite sur la route Commerciale, en direction de Lotbinière.

• À 48,2 km, vous arrivez à une intersection. Continuez sur la route Commerciale.

• À 50 km environ, vous arrivez au village de Lotbinière.

• À l'arrêt, tournez à droite sur la 132 Est en direction de Québec.

• À 51 km, vous arrivez à destination, au stationnement du Centre Chartier-de-Lotbinière. C'est la fin du circuit.

© Municipalité de Lotbinière

ATTRAITS

- **Moulin du Portage (1816)**
  (spectacles, expositions et visites guidées)
  1080, rang Saint-François Ouest
  Lotbinière (Québec) G0S 1S0
  418 796-3134

© Association des plus beaux villages du Québec

POUR EN SAVOIR PLUS

Tourisme Chaudière-Appalaches
800, autoroute Jean-Lesage
(autoroute 20)
Saint-Nicolas (Québec) G7A 1E3
418 831-4411 ou (sans frais)
1 888-831-4411
www.chaudiereappalaches.com/fr/
accueil/
info@chaudiereappalaches.com

Guide touristique régional officiel
(Région de Chaudière-Appalaches)

© Francine Saint-Laurent

Chaudière-Appalaches
SAINT-ANTOINE-DE-TILLY
Circuit de 54,9 km • facile

Chemins non goudronnés par endroits

Le village de Saint-Antoine-de-Tilly (fondé en 1702) offre aux amateurs de maisons anciennes plusieurs résidences cossues de styles variés (français ou Second Empire, d'inspiration victorienne ou d'esprit Régence). L'église est un bâtiment patrimonial remarquable, classé monument historique depuis 1963. Je vous invite en particulier à jeter un coup d'œil sur les demeures historiques comme le presbytère, l'ancien magasin général Normand et le manoir de Tilly. La région de la municipalité de Saint-Antoine-de-Tilly est considérée comme le royaume des petits fruits sauvages cultivés au Québec. En outre, les fromages exquis et les saveurs de l'érable sauront flatter les palais les plus fins. L'automne venu, vous pourrez apprécier à loisir la fraîcheur et la flaveur des pommes, qui vous donneront le goût de les dévorer jusqu'au trognon. Les nombreux kiosques des maraîchers qui jalonnent les routes vous convieront à un vrai régal: une merveilleuse invitation aux gosettes chaudes et à la goulée de fruits accompagnée d'une jatte de crème fraîche. Les «vélomanes» pourront se rassasier et emplir leurs sacs de produits locaux! Une belle découverte que ce pays des fraisiculteurs, véritable paradis des gourmands.

© Francine-Saint-Laurent

CIRCUIT

• Le trajet part de la place de l'Église dans le village de Saint-Antoine-de-Tilly.

On peut visiter l'église à certaines heures pour en admirer l'architecture et les œuvres d'art, dont quelques-unes ont été répertoriées dans l'Inventaire des œuvres d'art du Québec.

• Après avoir enfourché votre vélo, tournez à droite sur le chemin de Tilly.

Au 3894, chemin de Tilly, admirez l'imposante demeure qui était autrefois un ancien magasin général.

• À l'arrêt (quelques mètres plus loin), tournez à gauche sur la route de l'Église.

• À 0,5 km, vous arrivez à un carrefour. Continuez tout droit (273 Sud). Faites attention en traversant la route 132.

À votre droite, vous apercevrez la Fabrique Bergeron qui est ouverte au public. Cette entreprise est la première au Canada à se spécialiser dans la fabrication du gouda, un fromage d'origine hollandaise. Dans l'enceinte de ce bâtiment se trouve également le bureau d'accueil touristique.

• À 2 km, tournez à droite sur le chemin des Plaines (chemin Pincourt).

• À 12,6 km, tournez à gauche sur la route Nicolas (chemin non asphalté). Vous serez enchanté par ce décor bucolique de prairies.

• À 16,4 km environ, vous arrivez au village d'Issoudun.

Le 11 août 1957, une grande tragédie aérienne bouleversa cette paisible localité; 79 passagers perdirent la vie lors de l'écrasement d'un Douglas DC-4 en provenance de Grande-Bretagne sur un terrain situé entre le 5e Rang d'Issoudun et le 4e Rang de Saint-Édouard. Une croix aurait été érigée à l'endroit de l'accident.

• À l'arrêt, vous arrivez à un « + ». Tournez à gauche sur la rue Principale (chemin Bois-Franc Est), en direction du village de Saint-Apollinaire.

• À 25,9 km, vous arrivez à un « + ». Continuez tout droit sur le rang Bois-Franc (la prudence est de mise en traversant la 273).

• À 28,2 km environ, vous arrivez à un « T ». Tournez à droite sur la route Terre-Rouge (chemin de gravier).

À la saison, le parfum délicat des framboisiers vous ravira.

• Quelques mètres plus loin, tournez à gauche sur le chemin Terre-Rouge (chemin non indiqué; point de repère: la première maison dont l'adresse municipale est 2, chemin

Terre-Rouge). Cette route de gravier deviendra le chemin Demers.

Avec ses magnifiques voûtes d'arbres, cette route rappelle les plus beaux tableaux de la campagne anglaise.

• À 33,3 km environ, souriez, car voilà enfin l'asphalte!

• À 37,8 km, tournez à gauche sur la route Paquet.

• À 39,1 km, tournez à gauche sur le chemin Aubin.

• À 42,4 km, vous arrivez à un « + ».

Un détour de 4,1 km. Si vous désirez déguster des produits fins du terroir, un détour s'impose à la Cidrerie de Saint-Nicolas. Les hôtes vous convient à goûter au cidre bouché, mousseux ou de glace, aux sirops, aux gelées et aux confitures mitonnées à la mode de nos grands-mères. De quoi ravir vos papilles! Et pendant que vous y êtes, ne manquez pas une petite tournée à la Ferme Genest, de l'autre côté de la route. L'autocueillette de fruits et de légumes se fait dans un décor tout à fait champêtre!

Pour ce faire, à l'arrêt, tournez à droite sur la route Germain. Vous

Dénivelé du circuit (altimétrie)

Min: 49 m   Max: 113 m   Distance: 55,786 km

arrivez à un « T ». À l'arrêt, tournez à droite sur la 132 Est – route Marie-Victorin (en direction du village de Saint-Nicolas). Roulez avec prudence sur la 132. Plusieurs mètres plus loin, c'est la Cidrerie de Saint-Nicolas. Après avoir dégusté quelques produits régionaux, retournez sur vos pas (132 Ouest) pour emprunter à nouveau le rang Germain (première intersection à gauche), et tournez ensuite à droite sur le chemin Aubin (chemin Bois-Clair).

• Si vous préférez vous en tenir au plan de route initial, continuez tout droit sur le chemin Aubin (chemin Bois-Clair).

• À 51,1 km, vous arrivez à un « T ». À l'arrêt, tournez à droite sur la 273 Nord. Soyez prudent sur cette route provinciale. Vous arrivez au village de Saint-Antoine-de-Tilly.

• À 54,3 km, à l'arrêt, continuez tout droit sur la rue de l'Église (faites attention en traversant la 132).

• À 54,7 km, tournez à droite à l'arrêt sur le chemin de Tilly.

• À 54,9 km, vous arrivez à destination à la place de l'Église.

© Denis Bessette

ATTRAITS

- **L'église de Saint-Antoine-de-Tilly**
- **La Fabrique Bergeron**
  3837, route Marie-Victorin
  Saint-Antoine-de-Tilly (Québec) G0S 2C0
  418 886-2234 ou (sans frais) 1 800 265-9634
  www.fromagesbergeron.com
  Dans la même région, le Domaine Joly-De Lotbinière
  (1851), situé au cœur d'un parc floral, est classé parmi
  les Grands Jardins du Québec.

- **Le Domaine Joly-De Lotbinière**
  7015, route de Pointe Platon
  Sainte-Croix (Québec) G0S 2H0
  418 926-2462
  www.domainejoly.com/fr/accueil/
  info@domainejoly.com

©Domaine Joly-De Lotbinière
- Pierre Boucher

POUR EN SAVOIR PLUS

Tourisme Chaudière-Appalaches
800, autoroute Jean-Lesage
(autoroute 20)
Saint-Nicolas (Québec) G7A 1E3
418 831-4411 ou (sans frais)
1 888-831-4411
www.chaudiereappalaches.com/fr/
accueil/
info@chaudiereappalaches.com

Guide touristique régional officiel
(Région de Chaudière-Appalaches)

SAINT-ANTOINE-DE-TILLY

© Association des plus beaux villages du Québec

Chaudière-Appalaches
SAINT-VALLIER-DE-BELLECHASSE
Circuit de 33,7 km • intermédiaire

Chemins non goudronnés par endroits • pas de dépanneur sur le circuit

Le pays de la Corriveau! Cette région vous enchantera au printemps et à l'automne, saisons où des milliers d'oies blanches viennent consteller les battures du fleuve. L'église et les maisons coquettes de Saint-Vallier valent le coup d'œil. Le bourg est accroché au flanc d'un coteau qui surplombe le fleuve avec un point de vue magnifique sur le Saint-Laurent et sur l'Île d'Orléans. Saint-Vallier évoque également une célèbre histoire criminelle; celle de la « Corriveau » au XVIIIe siècle. Accusée d'avoir assassiné son second mari, une villageoise, Marie-Josephte Corriveau (1733-1763), fut condamnée à mort par un tribunal militaire anglais et pendue sur les Buttes-à-Nepveu (plaines d'Abraham). Par la suite, pour servir d'exemple, les autorités anglaises décidèrent d'exposer son cadavre dans une cage en fer, laquelle fut suspendue à la croisée des quatre chemins (à Pointe-Lévy). L'histoire de la « Corriveau » est entrée dans la légende. On a longtemps prétendu que son fantôme venait hanter et attaquer de pauvres gens!

© Francine Saint-Laurent

CIRCUIT

• Vous partez du stationnement de l'église de Saint-Vallier (datée de 1900), avenue de l'Église – rue Principale. Empruntez l'avenue de l'Église (en direction opposée du fleuve). Dirigez-vous vers le village de Saint-Raphaël.

• Quelques mètres plus loin, vous arrivez à un « + » (avenue de l'Église – boulevard Saint-Vallier). À l'arrêt, continuez tout droit sur l'avenue de l'Église (attention en traversant la 132).

• À 2,8 km, votre chemin enjambe l'autoroute 20. Continuez tout droit sur la montée de la Station (en direction de Saint-Raphaël).

• À 4,3 km environ, une jolie côte vous attend sur 1 km. Une récompense ensuite, la descente...

• À 6,6 km, vous arrivez à un « T ». À l'arrêt, tournez à droite sur le chemin de Valléville (toujours en direction du village de Saint-Raphaël).

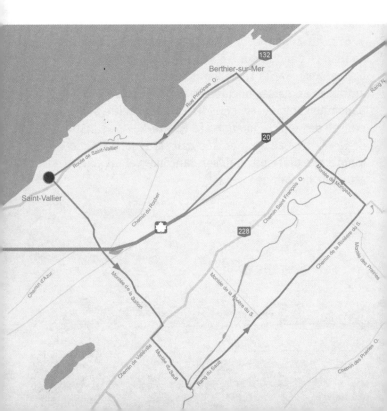

© Francine Saint-Laurent

• À 7,3 km, tournez à gauche sur la montée du Sault (chemin de gravier).

• À 8,6 km environ, vous passez sur un pont pittoresque à une seule voie, le pont de la montée du Sault. Les amateurs de paysages agricoles seront servis pour ce qui va suivre dans les prochains kilomètres!

• À 9,4 km, vous arrivez à un « Y » (montée du Sault – route du Domaine). Gardez votre droite.

• À 9,5 km, début de la route goudronnée

• Quelques mètres plus loin, vous arrivez à un « T ». À l'arrêt, tournez à gauche sur la route Rivière-du-Sud – rang du Sault (point de repère: vous allez passer plus loin sur un pont qui enjambe la rivière du Sud).

La centrale hydroélectrique appelée Le Pouvoir, qui se dresse sur le rang, est considérée comme un bien appartenant au patrimoine bâti de la municipalité de Saint-Raphaël. Tout à côté, un circuit de vélo de 25 km (Le Grand Sault) a été aménagé (pour plus de détails, voir la rubrique « ATTRAITS »). La

Dénivelé du circuit (altimétrie)

Min: 5 m   Max: 95 m   Distance: 34,026 km

route Rivière-du-Sud vous offrira un point de vue magnifique sur la vallée du Saint-Laurent. Vous longerez des prairies sur une route jalonnée de fermes laitières.

• À 18,8 km environ, vous arrivez à un « + ». À l'arrêt, tournez à gauche sur la montée de Morigeau en direction du fleuve (n'entrez pas dans le hameau, ou secteur de Morigeau). La montée de Morigeau vous mènera en ligne droite au village de Berthier-sur-Mer.

• À 21,5 km environ, vous arrivez à un « + » (chemin Saint-François Est – montée de Morigeau). Continuez tout droit, toujours en direction de Berthier-sur-Mer.

• À 22,7 km environ, vous passez par-dessus l'autoroute 20 (l'autoroute Jean-Lesage). Continuez tout droit en direction du fleuve.

• À 25,2 km, vous arrivez à une intersection (boulevard Blais [ou route 132] – rue du Couvent). Vous voilà à Berthier-sur-Mer. Continuez tout droit sur la rue du Couvent. (Ouvrez l'œil en traversant la route 132, la circulation y est dense.)

• Quelques mètres plus loin, vous arrivez à un « T ».

Si vous désirez faire un petit détour pour aller admirer l'église de Berthier, tournez à droite. Si vous préférez vous en tenir au circuit, tournez à gauche sur la rue Principale Ouest.

• À 28,7 km, vous arrivez à un « T » (boulevard Blais Ouest – rue Principale Ouest). À l'arrêt, tournez à droite sur le boulevard Blais Ouest (en direction du village de Saint-Vallier).

© Francine Saint-Laurent

• À 31,1 km, une jolie montée vous attend. Un dernier petit effort avant la fin du circuit!

• À 33,1 km, tournez à droite sur la rue Principale qui vous mène au cœur du village de Saint-Vallier.

• À 33,7 km, vous arrivez au stationnement de l'église. C'est la fin de la randonnée.

SAINT-MICHEL-DE-BELLECHASSE

Pendant que vous êtes dans cette magnifique région, pourquoi ne pas profiter de l'occasion pour visiter Saint-Michel-de-Bellechasse à vélo? Il faut calculer 14 km aller-retour de Saint-Vallier à Saint-Michel par la route 132. Quelques rues de ce joli bourg valent le coup d'œil, comme l'avenue de la Grève ou encore la rue Saint-Joseph. Pour ce faire, il faut prendre la rue Principale, tourner sur la rue des Remparts et tourner à gauche sur la rue Saint-Joseph.

ATTRAITS

• **Le circuit de vélo Le Grand Sault**
Ce circuit vous permettra de découvrir – grâce à des panneaux thématiques – l'histoire de la municipalité de Saint-Raphaël, ainsi qu'un moulin et d'anciens vestiges. Des aires de repos et de pique-nique ont été aménagées pour les visiteurs.

POUR EN SAVOIR PLUS

Tourisme Chaudière-Appalaches
800, autoroute Jean-Lesage
(autoroute 20)
Saint-Nicolas (Québec) G7A 1E3
418 831-4411 ou (sans frais)
1 888-831-4411
www.chaudiereappalaches.com
info@chaudiereappalaches.com

Guide touristique régional officiel
(Région de Chaudière-Appalaches)

© Marie Blanchard

GASPÉSIE

© Marie Blanchard

Gaspésie
MÉTIS-SUR-MER
Circuit de 37,7 km • facile à intermédiaire

Chemins non goudronnés par endroits

Il est difficile de demeurer indifférent devant le charme du village de Métis-sur-Mer, fondé par des Écossais en 1818, et devant le chapelet de demeures cossues qui longe le littoral. Au large, quelques îlots rocailleux abritent des phoques, des cormorans et des eiders à duvet. Métis-sur-Mer était autrefois une station balnéaire très prisée qui attirait le gratin de la communauté anglophone de Montréal. On y trouvait alors des clubs sélects, de grands hôtels de luxe, comme Le Saint Lawrence Special, aujourd'hui disparu. Cette clientèle anglo-protestante explique la présence de deux églises sur les lieux: l'église Unie et l'église presbytérienne. Au loin, vous pourrez admirer sur le littoral le phare de Métis, dont l'accès est privé. Le décor naturel de cette localité est d'une beauté à vous couper le souffle: les rosiers sauvages qui s'accrochent aux rochers, les rives qui incitent les marcheurs à s'aventurer au bord du fleuve pour se remplir les poumons d'air salin. Attention, toutefois, à ne pas vous faire surprendre par la marée montante! En somme, le circuit parfait pour les amateurs de vélo et de bord de mer.

© Francine Saint-Laurent

CIRCUIT

• Vous partez du stationnement situé en face de l'église au cœur du village (secteur Les Boules), village attenant à celui de Métis-sur-Mer (à l'angle de la rue Principale et de la rue de l'Église). Ce stationnement est une halte verte. Une aire de pique-nique a été aménagée.

• En quittant le stationnement, tournez à gauche vers l'est (point de repère: la rue Fournier, quelques mètres plus loin).

• À 1 km environ, tournez à droite sur la route Castonguay. À l'arrêt, vous arrivez à un « + ». Continuez tout droit sur la route Castonguay (attention en traversant la route 132 et ensuite la voie ferrée). Une série de jolies côtes – sur 2 km environ – vous attend. Ces petits exercices cardiovasculaires seront

récompensés vers la fin du circuit, lorsque vous amorcerez une longue descente en dos de dragon!

• À 3,2 km, vous arrivez à un « + ». Tournez à droite sur le 3e Rang (en direction ouest).

• À 6,5 km, vous arrivez à un « T ». À l'arrêt, tournez à droite sur la route MacNider (appelée La Grande-Ligne par les gens de la localité) en direction nord vers le fleuve.

• À 9,2 km, vous arrivez à une intersection. À l'arrêt, tournez à gauche sur la route 132 (direction ouest). Soyez prudent et ne quittez pas l'accotement. Certains automobilistes roulent très vite.

• À 9,4 km, soit 200 m plus loin, tournez à gauche sur le chemin de la Station – chemin de la Gare.

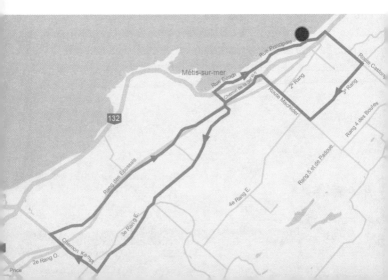

© Francine Saint-Laurent

• À 11 km, vous arrivez à un « T ». Tournez à gauche sur la route McLaren en direction du village de Saint-Octave-de-Métis. Prudence en traversant la voie ferrée.

• À 19,2 km, vous arrivez au village de Saint-Octave-de-Métis, avec son point de vue splendide sur la vallée du Saint-Laurent, qui s'étire à perte de vue devant vous, et son église imposante.

• À 20,4 km, vous arrivez à une intersection. À l'arrêt, tournez à droite sur le chemin Kempt. Réjouissez-vous, cela descend.

• À 23 km, tournez à droite sur le 2ᵉ Rang Est des Écossais (baptisé ainsi en raison des nombreux Écossais qui vinrent s'y établir).

• À 27,4 km, vous allez croiser la route de l'Anse-des-Morts. Continuez sur le 2ᵉ Rang Est des Écossais.

Cette route au nom sinistre vous mène aux rives de Grand-Métis. On raconte qu'un navire provenant de Glasgow en Écosse a autrefois sombré près de ces rives entraînant la mort d'un grand nombre de passagers. Les

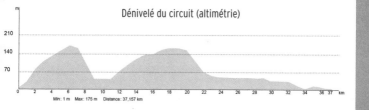

Dénivelé du circuit (altimétrie)

Min: 1 m   Max: 175 m   Distance: 37,157 km

habitants venus porter secours aux naufragés découvrirent plusieurs cadavres qui jonchaient la rive et décidèrent d'appeler ces lieux « l'Anse-des-Morts ».

• À 27,8 km, vous arrivez à un chemin de gravier.

• À 31,9 km, vous passez un petit pont qui enjambe la rivière Petit-Métis.

• À 32,2 km, vous arrivez à un « T ». Tournez à gauche sur le chemin McLaren (un chemin goudronné).

• À 32,8 km, vous arrivez à une intersection. Traversez la 132. (Soyez prudent sur la route 132, certains automobilistes ne font pas toujours attention aux cyclistes!)

• Quelques mètres plus loin, tournez à droite sur la rue Beach – chemin de la Mer, un chemin qui longe le littoral du village de Métis-sur-Mer. La vue panoramique du fleuve et l'architecture unique des maisons valent le coup d'œil. Les îlots rocailleux (appelés Les Boules) abritent l'eider à duvet, un canard qui fréquente les eaux maritimes. Des panneaux d'interprétation historique jalonnent la route.

• À 34,4 km, vous amorcez une petite montée.

• À 37,7 km, retour au stationnement. C'est la fin du circuit.

CIRCUIT DE REMPLACEMENT

Aux cyclistes qui préféreraient un circuit plus court, je propose de longer le littoral des villages Grand-Métis et Métis-sur-Mer vers Baie-des-Sables, en empruntant des routes riveraines entièrement asphaltées.

© Francine Saint-Laurent

ATTRAITS

- **Les Jardins de Métis**
  200, route 132
  Grand-Métis (Québec) G0J 1Z0
  418 775-2222
  www.jardinsmetis.com

© Marie Blanchard

POUR EN SAVOIR PLUS

Association touristique de la Gaspésie
1020, boulevard Jacques-Cartier
Mont-Joli (Québec) G5H 0B1
418 775-2223 ou (sans frais)
1 800 463-0323 (au Canada et aux États-Unis)
www.tourisme-gaspesie.com
info@tourisme-gaspesie.com

Guide touristique régional officiel
(Région de la Gaspésie)

Remerciement
Je remercie madame Marie-Claude Giroux de Héritage Bas-Saint-Laurent pour avoir apporté quelques précisions concernant ce circuit.

© Francine Saint-Laurent

MAURICIE

© Francine Saint-Laurent

Mauricie
CHAMPLAIN ET BATISCAN
Circuit de 34,5 km • facile

Chemins non goudronnés par endroits

Le village de Champlain vous enchantera par son riche
patrimoine bâti. En effet, le village compte plus de
227 bâtiments d'intérêt patrimonial. Ces bâtiments –
qui ont tous été construits avant 1940 – ont conservé
en bonne partie ou en totalité leur cachet d'origine.
Remarquez les différentes formes de toit (à versants
galbés, à versants droits ou encore à toit brisé) qui
confèrent au village un caractère très attrayant. Le
village de Champlain est aussi l'une des plus vieilles
localités du Québec. En effet, c'est en 1664 qu'est venu
s'établir le premier colon, Jean Laborde. Celui-ci a été
suivi par d'autres familles qui ont été attirées tout
comme lui par la proximité du fleuve et la fertilité des
terres. La rivière Champlain qui sillonne le territoire
revêt également un caractère historique puisque c'est
Samuel de Champlain qui lui a légué son propre nom
lorsqu'il a remonté le fleuve Saint-Laurent. Au cœur du
village, vous remarquerez l'imposante église qui a été
classée monument historique.

© Municipalité de Batiscan

CIRCUIT

• La randonnée commence dans le stationnement de l'église de Champlain (Notre-Dame-de-la-Visitation).

Cette église datée de 1879 possède de magnifiques objets d'art et de pièces de mobilier datant du XIXᵉ siècle.

• Du stationnement, tournez à gauche sur la rue Notre-Dame (138 Est), qui deviendra la rue Principale, en direction du village de Batiscan.

Le village de Batiscan tout comme celui de Champlain est considéré comme faisant partie des plus beaux villages du Québec. L'histoire économique de cette jolie localité qui s'étend le long du Chemin-du-Roy a été marquée par l'agriculture, le commerce maritime, le flottage du bois sur la rivière Batiscan et les moulins à scie.

• À 10,2 km, vous passez devant l'église de Batiscan (Saint-François-Xavier).

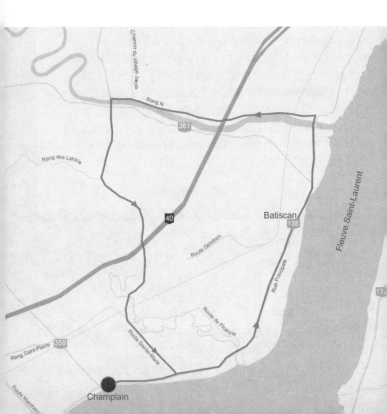

© Municipalité de Lotbinière

Cette église qui a été érigée en 1866 est un véritable petit bijou d'architecture néogothique.

• À 10,9 km, vous passez devant le hangar maritime.

Ce bâtiment abrite le bureau d'accueil touristique et une boutique qui vend des œuvres d'artistes et artisans de la MRC des Chenaux. Une petite halte s'impose pour visiter à l'étage supérieur du hangar maritime où se trouve l'Office des signaux, qui vous permet de faire un retour dans le temps, à l'époque des communications maritimes où l'on se servait de drapeaux, de signes optiques et de télégraphie (Grand Prix du Tourisme 2011).

• À 12,9 km, vous traversez le pont qui enjambe la rivière Batiscan. À la sortie du pont, tournez à gauche sur le rang Nord.

À côté de vous se dresse le calvaire Lacoursière qui a été construit en 1905 et restauré 60 ans plus tard.

• Quelques mètres plus loin, vous arrivez à un « T ». Tournez à gauche sur le rang Nord, qui vous permettra de profiter par moments de magnifiques points de vue sur la rivière Batiscan, où se pratique – tout comme la rivière Sainte-Anne – la

Dénivelé du circuit (altimétrie)

m

0   2   4   6   8   10   12   14   16   18   20   22   24   26   28   30   32   34   km

Min: 3 m   Max: 30 m   Distance: 34,874 km

pêche aux petits poissons des chenaux durant la saison hivernale.

• À 16,8 km, vous passez sous le viaduc de l'autoroute Félix-Leclerc (la 40).

• À 19,9 km environ, vous arrivez au village de Sainte-Geneviève-de-Batiscan.

Un bon nombre des premiers colons de cette paroisse sont venus de Paris. Ces derniers vouaient une grande dévotion envers sainte Geneviève, patronne de la capitale française. Ils ont demandé que la paroisse soit mise sous le patronage de sainte Geneviève, lorsqu'elle fut érigée canoniquement.

• À 20,8 km, vous arrivez à une intersection (devant l'église). À l'arrêt, tournez à gauche sur la rue du Pont pour traverser le pont Narcisse-P.-Massicotte qui enjambe la rivière Batiscan.

Le lieutenant-colonel Narcisse-Pierre Massicotte était propriétaire d'une passerelle (1872) dont le support a été construit avec les pierres de l'ancienne église de Sainte-Geneviève. Il en coûtait deux cents pour la traverser à pied et deux dollars par année pour les voitures. Cette petite entreprise s'est avérée très lucrative pour le propriétaire.

• À la sortie du pont, continuez tout droit sur la route du Village Champlain (qui deviendra le rang Sainte-Marie), en direction du village de Champlain. Devant vous se dresse une petite côte que vous devez grimper.

• À 27,7 km, vous passez devant l'Observatoire du Cégep de Trois-Rivières (1979), ouvert au public.

• À 32 km, vous arrivez à un « T ». Tournez à droite (138 Ouest) en direction du village de Champlain.

• À 34,5, vous arrivez au stationnement de l'église. C'est la fin du circuit.

© Municipalité de Lotbinière

ATTRAITS

- **L'Office des signaux**
  1000, rue Principale
  Batiscan (Québec) G0X 1A0
  418 362-0002
  www.batiscan.ca/office.php

- **L'Observatoire du Cégep de Trois-Rivières**
  Champlain (Québec) G0X 1C0
  819 295-3043
  www.cegeptr.qc.ca/observatoire/a-propos/nous-joindre

- **Vieux Presbytère de Batiscan**
  340, rue Principale
  Batiscan (Québec) G0X 1A0
  418 362-2051
  www.presbytere-batiscan.com

© Municipalité de Lotbinière

POUR EN SAVOIR PLUS

Association touristique régionale de la Mauricie
1882, rue Cascade, C.P. 100
Shawinigan (Québec) G9N 8S1
819 536-3334 ou (sans frais)
1 800 567-7603
www.tourismemauricie.com
info@tourismemauricie.com

Guide touristique régional officiel
(Région de la Mauricie)

Remerciement
Un grand merci à Armande Germain
(de Sainte-Geneviève-de-Bastican)
pour m'avoir accompagnée dans
cette agréable promenade.

© Association des plus beaux villages du Québec

MONTÉRÉGIE

© Francine Saint-Laurent

Montérégie
SAINT-ANTOINE-SUR-RICHELIEU
Circuit de 28,4 km · facile

Saint-Antoine-sur-Richelieu est une charmante municipalité qui s'étire le long des rives du Richelieu. Une église imposante dotée de deux clochers et des demeures pittoresques agrémentent la rue du Rivage et rendent cet endroit fort attrayant. On exportait autrefois de ce village du gruau et du tabac vers les États-Unis. Les « vélomanes » seront charmés par la vallée du Richelieu et ses terres agricoles verdoyantes. Une petite tournée à Saint-Antoine vous entraînera également au pays de Sir Georges-Étienne Cartier, un homme canadien, natif de cet endroit. Je vous convie donc à une véritable promenade au cours de laquelle vous pourrez enrichir vos connaissances dans un décor champêtre qui vous laissera rêveur!

© Francine Saint-Laurent

CIRCUIT

• Le trajet part du stationnement situé à côté de l'église de Saint-Antoine-de-Padoue, au cœur du village de Saint-Antoine-sur-Richelieu.

Avant de partir, faites une petite halte au parc de la Fabrique situé devant l'église où se dresse le buste de Sir Georges-Étienne Cartier. Quelques mètres plus loin, on découvre ce qui reste du vieux moulin banal du village démoli par Norbert Bélanger en 1913. Des vieilles meules sont les derniers vestiges de ce moulin à farine.

• Sortez du stationnement de l'église en tournant à droite et longez la rivière Richelieu.

Celle-ci s'appelait autrefois la rivière aux Iroquois en raison des nombreux Iroquois qui canotaient sur ce plan d'eau.

• Quelques mètres plus loin, au 1000, rue du Rivage, vous passez devant une imposante demeure de style mauresque (le château Saint-Antoine), construite en 1897 par Louis-Joseph Cartier, petit-cousin de Sir George-Étienne Cartier.

Se dresse aussi, au 962, rue du Rivage, une immense maison faite de pierres des champs de 30 m de long, réplique de la maison natale de Georges-Étienne Cartier qui a été détruite.

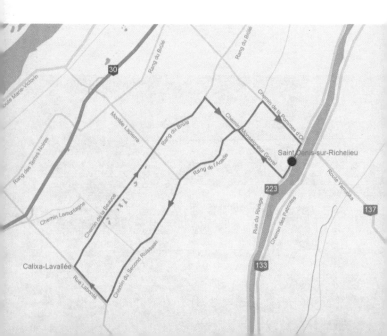

• À 0,3 km, tournez à droite sur la rue de Monseigneur-Gravel, nom du premier évêque de Nicolet.

• À 2,9 km, vous arrivez à un « + ». À l'arrêt, tournez à gauche sur le rang de l'Acadie qui deviendra plus tard le rang Second Ruisseau.

Le rang de l'Acadie a été ainsi baptisé à la mémoire des nombreux Acadiens venus s'installer sur ce rang après le « Grand dérangement » de 1755.

Le magnifique calvaire que vous apercevez est l'œuvre d'un menuisier de la région, Adélard Courtemanche (1858-1952), qui a également construit plusieurs maisons de l'endroit et des bancs d'église.

• À 11,6 km, vous arrivez à un « T ». À l'arrêt, tournez à droite sur la rue Labonté (en direction des villages de Calixa-Lavallée – Verchères). Soyez prudent,

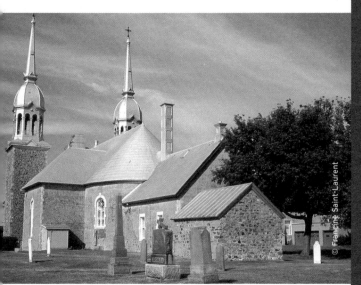

© Francine Saint-Laurent

Dénivelé du circuit (altimétrie)

m

0

0   2   4   6   8   10   12   14   16   18   20   22   24   26   28 km

Min: 4 m   Max: 25 m   Distance: 28,768 km

© Franche Saint-Laurent

car cette rue est quelque peu passante.

• À 13,1 km environ, vous arrivez au village de Calixa-Lavallée (anciennement appelé Sainte-Théodosie).

Cette charmante localité doit son attrait aux vieilles maisons en pierres des champs qui bordent le chemin de la Beauce et qui sont des maisons demeurées pratiquement intactes. Le village de Calixa-Lavallée est également renommé pour l'homogénéité de son ensemble architectural et il a été répertorié dans de nombreuses publications officielles dont celle du ministère des Affaires culturelles en 1977.

• À 13,4 km, après avoir traversé le pont qui enjambe le ruisseau Coderre, vous arrivez à une intersection. Au feu jaune clignotant, tournez à droite sur le chemin de la Beauce, appelé autrefois le rang de la « Biausse » (qui deviendra plus tard le rang du Brûlé).

• Quelques mètres après, vous découvrirez une jolie église en pierres des champs.

Derrière l'église, vous pouvez faire une halte au parc Arthur-Bouvier. Des toilettes et des tables de pique-nique sont mises à la disposition des visiteurs.

• En enfourchant de nouveau votre vélo, vous apercevrez, quelques mètres plus loin, une plaque indiquant l'emplacement de la maison natale du musicien Calixa Lavallée, compositeur de l'hymne national du Canada, qui a été malheureusement rasée par les flammes en

1949 (point de repère: à côté du 610, chemin de la Beauce).

SAVIEZ-VOUS QUE l'hymne national du Canada a été joué pour la première fois le jour de la Saint-Jean-Baptiste, le 24 juin 1880?

• Un peu plus loin, au 564, chemin de la Beauce, se trouve une ancienne école de rang qui a été convertie en bungalow.

• Au 240, chemin de la Beauce, vous passez devant une maison (1830) entièrement construite en pierres des champs.

Cette maison a toute une histoire, car elle a renfermé autrefois une armoire en pin dans laquelle se serait caché Sir George-Étienne Cartier, lors de la Rébellion des Patriotes (1837-1838). En effet, pour fuir les troupes anglaises lancées à leur poursuite, Georges-Étienne Cartier et son cousin Henri Cartier tentèrent de gagner la frontière américaine. Transis de froid et mourant de faim, ils décidèrent de rebrousser chemin et trouvèrent refuge dans cette maison. Ce n'est que quelques mois plus tard que Cartier put rentrer à Montréal en toute quiétude grâce à l'amnistie accordée par Lord Gosford. Par la suite, on le sait, Cartier deviendra l'un des Pères de la Confédération.

• À 18,8 km, vous arrivez à un « + » (montée Lapierre – rang du Brûlé). Continuez tout droit sur le rang du Brûlé.

• À 21,6 km, vous arrivez à une intersection. Tournez à droite sur le chemin Monseigneur-Gravel.

• À 23,4 km, vous arrivez à un « + » (chemin Monseigneur-Gravel – rang de l'Acadie). À l'arrêt, tournez à gauche sur le rang de l'Acadie.

Une option: si vous désirez raccourcir votre circuit, continuez tout droit sur le chemin Monseigneur-Gravel, en direction de l'église de Saint-Antoine-sur-Richelieu.

• À 24,9 km, vous arrivez à un « + ». Tournez à droite sur le chemin de la Pomme-d'Or, en direction de Saint-Antoine-sur-Richelieu. (Soyez prudent, car certains automobilistes roulent vite.)

• À 27,6 km environ, vous arrivez au village de Saint-Antoine-sur-Richelieu.

• À 27,2 km, vous arrivez à un « T ». À l'arrêt, tournez à droite sur la rue du Rivage (223 Sud) en direction de Saint-Marc-sur-Richelieu.

Vous pouvez vous offrir un agréable détour en empruntant le bac qui traverse le Richelieu pour se rendre au village historique de Saint-Denis. Une fois là, pourquoi ne pas visiter la Maison nationale des Patriotes? Petite anecdote: saviez-vous que cette maison a été construite vers 1809 par l'aïeul de Madonna? En effet, en parcourant l'arbre généalogique de la chanteuse américaine, on trouve dans la sixième génération du côté maternel le nom de Jean-Baptiste Mâsse, riche marchand et aubergiste du village de Saint-Denis qui a activement participé à la Rébellion des Patriotes. Selon la légende, c'est dans la maison de l'aïeul de Madonna que se réunirent les rédacteurs des fameuses « 92 résolutions » de 1834. La mère de Madonna était franco-américaine et s'appelait Louise Madonna Fortin.

• Si vous préférez vous en tenir au circuit principal, rendez-vous alors au stationnement de l'église.

• À 28,4 km, fin du circuit.

© Francine Saint-Laurent

ATTRAITS

Saint-Antoine-sur-Richelieu

• **Le traversier**
Fait la navette entre les villages de Saint-Antoine et de Saint-Denis.

• **Maison de la culture de Saint-Antoine-sur-Richelieu**
Située dans l'enceinte du vieux presbytère (1882), on y présente des expositions variées.
1028, rue du Rivage
Saint-Antoine-sur-Richelieu (Québec) J0L 1R0
450 787-3116
www.saint-antoine-sur-richelieu.ca/maisonculture.htm
maisonculture@sasr.ca

Calixa-Lavallée

- L'exposition agricole de Calixa–Lavallée
  Se déroule en début de juillet.
  www.expocalixa.com/drupal/

Saint-Denis-sur-Richelieu

- **La fête du Vieux Marché de Saint-Denis**
  Se déroule en août à Saint-Denis-sur-Richelieu.
  Maraîchers et artisans sont au rendez-vous.
  www.vieuxmarche-saintdenis.com

- **La maison nationale des Patriotes**
  599, Chemin des Patriotes
  Saint-Denis-sur-Richelieu (Québec) J0H 1K0
  450 787-3939 • www.mndp.qc.ca

© Francine Saint-Laurent

POUR EN SAVOIR PLUS

**La Maison du tourisme de
la Montérégie**
8940, boulevard Leduc, bureau 10
Brossard (Québec) J4Y 0G4
450 466-4666 ou (sans frais)
1 866-469-0069
www.tourisme-monteregie.qc.ca
info@tourisme-monteregie.qc.ca

Guide touristique officiel
(Montérégie)

©Municipalité de Verchères

Montérégie
VERCHÈRES
Circuit de 44,5 km • facile

Vous ne résisterez pas au charme de Verchères, de
ses maisons patrimoniales aux corniches richement
ouvragées comme de la dentelle et de ses petites rues
pittoresques. Impossible de présenter ce magnifique
hameau qui borde la rive du fleuve Saint-Laurent
sans évoquer son héroïne, Madeleine de Verchères. On
sait qu'en octobre 1692, cette jeune fille de 14 ans a
défendu durant 8 jours le fort de Verchères contre les
assauts des Iroquois. Cet acte de bravoure l'a immor-
talisée et on peut contempler l'immense monument
érigé en son honneur rue Madeleine. On profitera
de l'occasion pour admirer le moulin banal construit
entre 1710 et 1737. Le village, niché en plein cœur
des terres agricoles dans la vallée du Richelieu, est un
lieu de rendez-vous rêvé pour les amateurs de paysages champêtres!

© Municipalité de Verchères

CIRCUIT

• Le trajet part du village de Verchères, dans le stationnement de l'église (paroisse Saint-François-Xavier), rue Marie-Victorin.

• Quittez le stationnement en tournant à droite (en direction de la ville de Sorel). Quelques mètres plus loin, un joli chemin se dessine à votre droite (le chemin Calixa-Lavallée). Empruntez-le.

• À 1,7 km, tournez à gauche sur le rang des Terres-Noires, en direction de Contrecœur.

• À 3,7 km, vous arrivez à un « T ». À l'arrêt, tournez à droite sur le rang Chicoine-Larose, en direction de Calixa-Lavallée.

• À 4,1 km, tournez cette fois-ci à gauche sur le rang Terres-Noires (qui deviendra le rang du Brûlé).

• À 8,6 km, vous passez au-dessus de l'autoroute 30.

• À 10,6 km, vous arrivez à un « + ». Tournez à droite sur la montée Lapierre (en direction du village de Saint-Antoine-sur-Richelieu).

• À 13 km, vous arrivez à un « + ». À l'arrêt, tournez à gauche sur le rang du Brûlé – chemin de la Beauce (en direction du village de Saint-Roch-de-Richelieu).

• À 17,6 km, vous arrivez à un « + ». À l'arrêt, tournez à droite sur la montée de la Pomme-d'Or (en direction du village de Saint-Antoine-sur-Richelieu).

• À 21,8 km, vous arrivez au magnifique village de Saint-Antoine-sur-Richelieu.

Vers 1790, les frères Cartier sont venus s'établir dans ce charmant village. Jacques (grand-père de George-Étienne Cartier) et Joseph étaient des négociants qui exportaient d'importantes quantités de grains. La vallée du Richelieu a

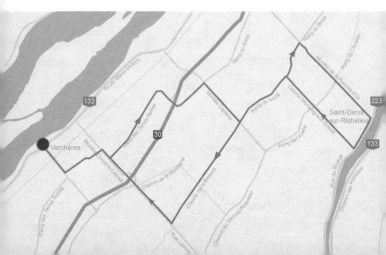

d'ailleurs été baptisée le « grenier du Bas-Canada ».

Les habitants de Saint-Antoine ont participé au mouvement des Patriotes. Le 23 novembre 1837, le jeune George-Étienne Cartier et son cousin Henri réunirent une centaine d'hommes et traversèrent le Richelieu pour prêter main-forte aux habitants de Saint-Denis lors de la fameuse bataille de Saint-Denis.

• À 22,2 km, vous arrivez à un « T ». À l'arrêt, tournez à droite sur la rue du Rivage (223 Sud), en direction du village de Saint-Marc-sur-Richelieu.

Si l'histoire vous intéresse, je vous invite à prendre le bac qui traverse le Richelieu pour visiter le village de Saint-Denis qui fut le théâtre d'une étrange aventure, celle de Rosalie Cherrier-Cheval. Durant la révolte des Patriotes (1837), Rosalie « la divorcée » s'était attiré les foudres des villageois en prenant en pension un jeune Anglais, William Mitchell, pour arrondir ses revenus. Comble d'indécence, on la soupçonnait de partager avec lui la chaleur de sa couche. Le soir du 24 septembre, les Patriotes décident

donc d'organiser un charivari devant la maison de l'« infâme » dans l'espoir qu'elle et son amant déguerpissent du village. Munis de casseroles, de grelots et de bâtons, ils font grand bruit et lancent des imprécations devant la maison de Rosalie. Cette dernière perd patience et demande à Mitchell de tirer dans le groupe par la fenêtre. Des coups de feu éclatent blessant trois Patriotes. Accusée de tentative de meurtre, Rosalie Cherrier en est quitte pour 15 jours de prison. On raconte qu'elle est devenue par la suite une « sainte », menant une vie quasi monacale pendant des années. Elle a rendu l'âme à l'Hôtel-Dieu de Saint-Hyacinthe, en 1879. On peut encore voir sa modeste maison au 167, rue Yamaska.

• Si vous préférez vous en tenir à l'itinéraire principal, un petit arrêt s'impose au parc de la Fabrique (situé en face de l'église). Voir le circuit Saint-Antoine-sur-Richelieu pour plus de détails.

• Au 1000, rue du Rivage, on peut apercevoir une gigantesque demeure de style mauresque (le château Saint-Antoine) construite

Dénivelé du circuit (altimétrie)

40

0 2 4 6 8 10 12 14 16 18 20 22 24 26 28 30 32 34 36 38 40 42 44 km

Min: 9 m   Max: 26 m   Distance: 44,574 km

par le petit cousin de Cartier, Louis-Joseph Cartier. Au 962, rue du Rivage, une immense maison faite de pierres des champs de 30 m de long – qui a appartenu à l'oncle de Georges-Étienne Cartier – est la réplique de la maison natale de Georges-Étienne Cartier qui a été détruite.

SAVIEZ-VOUS QUE la rivière Richelieu s'appelait autrefois la rivière aux Iroquois en raison des nombreux Iroquois qui canotaient sur la rivière?

• À 23,7 km, tournez à droite sur la montée Monseigneur-Gravel.

• À 26,3 km, vous arrivez à un « + » (rang de l'Acadie – montée Monseigneur-Gravel). À l'arrêt, continuez tout droit sur la montée Monseigneur-Gravel.

Ce beau calvaire que vous apercevez a été construit par Adélard Courtemanche (1858-1952), un menuisier très connu de la région. Celui-ci a également construit plusieurs maisons de l'endroit et des bancs d'église. En 1760, de nombreuses familles acadiennes se sont établies sur ce rang.

• À 28,1 km, vous arrivez à un « T ». À l'arrêt, tournez à gauche sur le rang du Brûlé.

• À 31 km, vous arrivez à un « + » (montée Lapierre – rang du Brûlé). Continuez tout droit sur le rang du Brûlé (en direction du village de Calixa-Lavallée).

• À 36 km, vous arrivez à un « T ». Au feu rouge clignotant, tournez à droite sur l'avenue Labonté, en direction de la municipalité de Verchères (prudence, certains automobilistes roulent vite).

• À 38,9 km, vous passez par-dessus l'autoroute 30, en ayant l'impression de vous lancer sur le dos d'un dromadaire...

• À 40,9 km, tournez à gauche sur le rang des Terres-Noires, en direction de Contrecœur.

• À 42,8 km, vous arrivez à un « T ». À l'arrêt, tournez à droite (route non indiquée), en direction de Varennes et de Contrecœur.

• À 43,3 km, vous arrivez à la municipalité de Verchères.

• À 44,4 km, vous arrivez à un « T ». À l'arrêt, tournez à gauche sur la 132 Ouest.

• À 44,5 km, vous arrivez au stationnement. Fin du circuit.

© Jean-Pierre Grégoire

ATTRAITS

- **Le monument de Madeleine de Verchères**
  La statue en bronze la plus imposante du Canada qui se trouve à proximité du lieu d'origine de la bataille du Fort de Verchères

- **Le moulin banal**
  Érigé entre 1710 et 1737.

© Municipalité de Verchères

POUR EN SAVOIR PLUS

La Maison du tourisme de la Montérégie
8940, boulevard Leduc, bureau 10
Brossard (Québec) J4Y 0G4
450 466-4666 ou (sans frais)
1 866-469-0069
www.tourisme-monteregie.qc.ca
info@tourisme-monteregie.qc.ca

Guide touristique officiel
(Montérégie)

© Francine Saint-Laurent

QUÉBEC

© Linda Brouillette

Québec
DESCHAMBAULT
Circuit de 62,9 km • facile à intermédiaire

Chemins non goudronnés par endroits

Le village de Deschambault vous séduira par la richesse de son patrimoine bâti. Ne ratez pas le cap Lauzon où se dressent quelques magnifiques bâtiments religieux (l'église, le vieux et le nouveau presbytère). Le village, niché dans la région portneuvoise – entre Trois-Rivières et Québec – vous enchantera par l'éclat coloré de ses paysages littoraux. Il faut visiter les nombreux moulins, témoins de l'ancienneté de l'occupation des rives du fleuve. Pendant plus d'un siècle, de nombreuses demeures ont logé capitaines, pilotes et marins, des hommes d'expérience capables d'affronter les difficultés de navigation de cette région. Ce village et ses alentours au charme unique vous attendent. Bonne randonnée!

© Francine Saint-Laurent

CIRCUIT

• Rendez-vous au village de Deschambault et suivez le panneau indicateur « Vieux Presbytère de Deschambault ». Empruntez la rue Saint-Joseph et garez la voiture derrière l'église Saint-Joseph. Vous remarquerez très vite que ce site pittoresque foisonne de trésors architecturaux. Pourquoi ne pas faire une petite visite au Vieux Presbytère? Construit en 1816, ce bâtiment – classé monument historique – propose des expositions thématiques variées. Jetez aussi un coup d'œil sur le Magasin général Paré (104, rue de l'Église) qui dessert la population locale depuis 1866, et la Salle des Habitants (109, rue de l'Église) où se réunissaient autrefois les paroissiens. Il ne subsiste au Québec que deux de ces salles publiques comme on les appelait autrefois.

• Une fois prêt à vous lancer dans cette excursion inoubliable, empruntez la rue de l'Église qui longe le cimetière du village.

• À 0,1 km, à l'arrêt, tournez à gauche sur le chemin du Roy (138 Ouest). Même si cette route provinciale est beaucoup moins fréquentée depuis la construction de l'autoroute de la Rive-Nord (la 40), soyez tout de même prudent.

Cette route fut le premier chemin carrossable au Canada. Si le chemin du Roy est tant prisé par les cyclistes, c'est parce qu'il offre une vue saisissante du fleuve. Sur le parcours, une halte routière a été aménagée.

• À 5,2 km, tournez à droite sur la rue Chavigny et suivez le panneau indiquant « Le moulin de la Chevrotière » (1802). La petite rue Chavigny forme une boucle qui vous mènera devant le moulin de la Chevrotière qui borde la rivière Chevrotière.

Anciennement utilisé, entre autres, pour moudre la farine, ce bâtiment abrite à présent des salles d'exposition.

• À 5,6 km, à l'intersection, tournez à droite pour reprendre le chemin du Roy (138 Ouest). Une montée vous attend.

• À 7,8 km environ, vous passez devant le Centre d'information d'Hydro-Québec de Grondines.

• À 9,5 km, vous arrivez à un « Y ». Tournez à droite sur lle chemin Sir-Lomer-Gouin (qui deviendra le chemin du Faubourg) pour vous rendre au cœur du village de Grondines, dont le nom rappelle le grondement du vent sur les battures et les gros cailloux sur les rives.

Vous pouvez également faire un petit détour en visitant l'un des plus vieux moulins à vent (1674) d'Amérique du Nord. Informez-vous auprès des gens du village de la direction à prendre pour vous rendre au moulin sur le chemin des Ancêtres.

• À 13,3 km, vous aboutissez à un petit rond-point. Gardez la droite en empruntant la rue Delorme.

• À 14,2 km, vous arrivez à un « T ». Tournez à droite sur le 2e Rang Ouest, en direction du village de Saint-Casimir.

• À 16,9 km, vous arrivez à un « + ». Tournez à gauche sur la route Guilbault.

• À 17,2 km, tournez à droite sur le 2e Rang; point de repère: adresse de la première maison de ce rang – 300, rang 2).

• À 19,9 km, tournez à gauche sur la route Lefebvre. (Point de repère: petite route de terre située immédiatement après la maison dont l'adresse municipale est 200.)

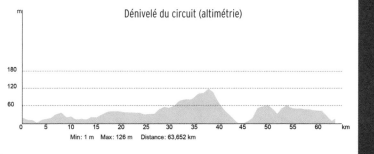

Dénivelé du circuit (altimétrie)

Min: 1 m   Max: 126 m   Distance: 63,652 km

Il s'agit à mon avis du coin de pays le plus ravissant du Québec. Ce petit rang bucolique de gravier vous accueille avec un magnifique tunnel d'arbres. Après la partie boisée se dessine devant vous une plaine enchanteresse. Soyez prudent en traversant la voie ferrée, un train peut toujours passer.

• À 21 km, vous arrivez à un « T ». Tournez à droite sur le 3e Rang (nom du rang non indiqué).

• À 23,9 km, vous arrivez à un carrefour. Attention en traversant la route 363. Continuez tout droit, en direction des villages de Saint-Gilbert et de Notre-Dame-de-Portneuf.

• À 28,7 km, vous arrivez à un « T ». Tournez à gauche sur la route Proulx.

• À 29,1 km, tournez à droite sur le 3e Rang, en direction du village de Notre-Dame-de-Portneuf (ce chemin moitié asphalte et moitié gravier changera de nom plus tard pour devenir le rang de la Rivière-Bélisle.)

• À 35,4 km, vous rencontrerez un « T ». Tournez à droite sur le rang de la Chapelle, en direction de Notre-Dame-de-Portneuf (chemin en asphalte).

• À 38,4 km environ, vous arrivez au village de Notre-Dame-de-Portneuf (anciennement appelé Portneuf-Station). Prenez la rue Saint-Louis et traversez le village.

Avant de sortir du village vous attend une bonne descente! Une fois en bas, gardez votre droite et

prenez de l'élan pour grimper la côte qui suit.

• À 40,6 km, vous passez par-dessus l'autoroute de la Rive-Nord (la 40).

• À 41,2 km environ, vous arrivez au village de Portneuf.

• À 41,7 km, vous êtes à un carrefour. Regardez bien des deux côtés avant de traverser la rue Provencher (138).

• À 41,9 km, vous arrivez à un « Y ». Gardez votre gauche (rue Lemay) et dirigez-vous vers le quai de Portneuf, qui s'étire sur 1 km jusqu'au chenal (c'est le plus long du fleuve).

Au bout du quai, admirez devant vous la Pointe-au-Platon. Sur les rives, on aperçoit régulièrement des hérons, des canards plongeurs et, en saison, des oies blanches et des bernaches du Canada. Après cette petite halte, retournez sur vos pas.

• À 44,1 km, vous arrivez à un « T ». Tournez à droite sur la rue Lemay.

• À 44,6 km, un petit arrêt vous oblige à mettre votre pied à terre. Traversez la 2e Avenue (138) en prenant garde aux automobilistes. Empruntez la rue de la Grève qui est devant vous.

• À 44,9 km, vous arrivez à un « + ». Tournez à droite sur la 1re Avenue et passez sur le petit pont qui traverse la rivière Portneuf. Poursuivez votre route.

• À 45,5 km, dès que vous arrivez à un « + », tournez à gauche sur le chemin Neuf. Vous avez une jolie côte à grimper.

• À 48,2 km, tournez à gauche sur la rue Bishop (route non asphaltée).

• À 49,9 km, vous arrivez à un « Y ». Restez sur votre gauche et traversez le pont.

• À 50,2 km, vous arrivez à un « T ». Tournez à gauche sur la rue Saint-Charles.

• À 52,8 km environ, vous voilà au cœur du village de Notre-Dame-de-Portneuf. Au « Y », restez sur votre droite; point de repère: la voie ferrée est à votre gauche. Et tournez à droite sur l'avenue Saint-Louis.

• À 53,4 km – toujours dans le village –, tournez à gauche sur le rang du Coteau-des-Roches qui deviendra plus tard le 2e Rang;

point de repère: vous traversez la voie ferrée quelques mètres plus loin.

• À 60 km, vous arrivez à un « + ». Tournez à gauche sur la route Proulx; cette route enjambe un peu plus loin l'autoroute de la Rive-Nord.

• À 62 km, tournez à droite sur la rue Johnson.

• À 62,5 km, vous arrivez sur le chemin du Roy (138). Tournez à droite.

• Tournez ensuite à gauche sur la pittoresque rue Saint-Joseph qui longe le Cap Lauzon, en direction du Vieux Presbytère et du stationnement de l'église.

• À 62,9 km, fin de la randonnée.

© Association des plus beaux villages du Québec

HOMMAGES

DES

PILOTES

ET

MARINS

"NAVIGUER, C'EST PREVOIR"

196

© Linda Brouillette

ATTRAITS

- **Le Cap Lauzon**
  Un parc qui offre une vue magnifique sur le fleuve et l'îlot Richelieu (à Deschambault).

- **Le Vieux Presbytère de Deschambault**
  À l'intérieur se trouve une exposition permanente.
  117, rue Saint-Joseph
  Deschambault (Québec) G0A 1S0
  418 286-6891

- **Le moulin de la Chevrotière**
  Présente plusieurs expositions.
  109, rue Chavigny
  Deschambault (Québec) G0A 1S0
  418 286-6862

- **Le moulin à vent de Grondines (1674)**
  Exposition permanente.
  535, chemin des Ancêtres
  Grondines (Québec) G0A 1W0
  418 268-3362

POUR EN SAVOIR PLUS

Bureau d'accueil touristique de Deschambault-Grondines
(Saisonnier)
55, chemin du Roy
Grondines (Québec) G0A 1W0
418 268-3735 ou (sans frais)
1 800 409-2012
www.tourisme.portneuf.com
tourismeportneuf@cldportneuf.com

Guide touristique régional officiel
(Région de Portneuf)

© Yvan Bédard

Québec
NEUVILLE
Circuit de 44,8 km · facile à intermédiaire

Chemins non goudronnés par endroits

Neuville! Ce village portneuvien, considéré comme
le plus ancien du comté, s'étend sur trois coteaux
d'où l'on peut contempler le majestueux fleuve
Saint-Laurent. Neuville a bien des attraits, notamment
sa kyrielle de maisons anciennes, ornées de corniches
ouvragées, dont plusieurs sont classées monuments
historiques. Une petite visite de l'église s'impose,
car vous y découvrirez l'un des plus anciens balda-
quins (sculpté en 1695) d'Amérique du Nord.
Voilà donc une randonnée idéale pour les amateurs
d'histoire, mais aussi de nature, puisque la rivière
Jacques-Cartier contient du saumon de l'Atlantique
(on y trouve des spécimens remarquables).

© Yvan Bédard

CIRCUIT

• La randonnée commence dans le stationnement de l'hôtel de ville (230, rue du Père-Rhéaume) à Neuville. À l'arrêt (rue du Père-Rhéaume – rue des Érables), tournez à gauche sur la rue des Érables qui longe la 138 (chemin du Roy).

• À 1,8 km, vous arrivez à une petite intersection. Tournez à gauche sur la route Gravel. Ça monte!

• À 5 km, vous passez par-dessus l'autoroute de la Rive Nord (la 40). Continuez tout droit sur la route Gravel.

• À 7,1 km, vous arrivez à une intersection (chemin Lomer). À l'arrêt, continuez tout droit.

• À 9,8 km, vous arrivez à un « T ». À l'arrêt, tournez à gauche sur le rang Petit-Capsa.

• À 10,5 km, vous arrivez à un carrefour. Tournez à droite sur la route Guénard. Point de repère: un petit pont qui enjambe la rivière aux Pommes.

• À 11,5 km, vous arrivez à un « T ». À l'arrêt, tournez à gauche sur la route Grand-Capsa (358 Ouest qui deviendra la rue Dupont Est).

• À 13,5 km environ, vous arrivez dans la petite municipalité de Pont-Rouge.

Vers 1838, afin de protester contre le premier pont de péage au Québec, les villageois décidèrent de construire un pont peint en

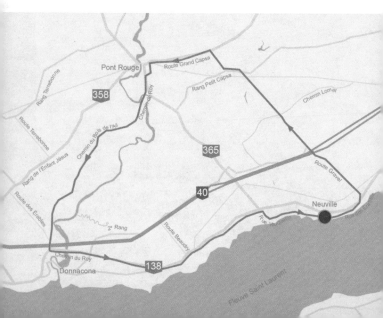

rouge, d'où provient le nom de cette ville.

• À 14,5 km, tournez à gauche sur l'avenue Laflamme.

• À 14,7 km, vous arrivez à un « T ». Tournez à droite sur la rue Leclerc et immédiatement à gauche sur la 2e Avenue.

• À 15,2 km, vous arrivez à un « T ». Tournez à droite sur la rue des Pins.

• À 15,4 km, vous arrivez à un carrefour (rue des Pins – rue du Collège). Traversez et tournez à gauche sur la rue Déry (point de repère: il y une épicerie Metro tout près).

• À 15,8 km, vous arrivez à un « T ». À l'arrêt, tournez à gauche sur la rue Pleau.

• À 16 km, vous arrivez à une intersection (rue Pleau – chemin du Roy). À l'arrêt, tournez à droite sur le chemin du Roy. Attachez bien vos casques, une bonne descente vous attend (21%)!

Vous passez sur le pont Déry qui enjambe la rivière Jacques-Cartier. Ce pont était autrefois l'unique moyen de traverser la rivière, et le gouvernement de l'époque a eu l'indélicatesse d'y installer un péage. Vous pouvez à présent visiter la demeure (la maison Déry) où logeait le percepteur, laquelle sert de centre d'interprétation touristique et accueille diverses expositions. Profitez de l'occasion pour jeter un coup d'œil sur la rivière Jacques-Cartier et apercevoir des fosses à saumon!

• À 16,5 km, vous passez devant la R.S.P. Hydro centrale hydroélectrique McDougall.

• À 17 km, vous arrivez à une intersection. À l'arrêt, continuez tout droit sur le chemin Grand-Bois-de-l'Ail.

• À 24,6 km, vous devez gravir une belle côte.

• À 24,9 km, vous arrivez à un « T ». À l'arrêt, tournez à gauche (138 Est). Une bande cyclable a été aménagée. Une longue descente et une longue montée vous attendent.

• À 25,4 km, vous passez devant le parc familial des Berges.

Des sentiers pédestres et une aire de pique-nique ont été aménagés en pleine nature au milieu d'un site naturel, lequel comporte plus de 30 espèces d'arbres.

Dénivelé du circuit (altimétrie)

Min: 3 m   Max: 115 m   Distance: 44,939 km

• À 26,3 km, vous arrivez à un carrefour. Aux feux, continuez tout droit sur la 138 – chemin du Roy.

SAVIEZ-VOUS QUE le chemin du Roy, reliant Québec à Montréal, a été inauguré en 1734? C'est la plus ancienne route carrossable au Canada.

• À 35,1 km, tournez à droite sur la rue Vauquelin. Une vue magnifique vous attend en descendant vers le fleuve.

• À 37,7 km, vous arrivez à un carrefour (rue Côté – rue Vauquelin). À l'arrêt, continuez tout droit sur la rue Vauquelin qui deviendra la rue de l'Église.

• À 38,6 km, vous arrivez à un arrêt. Tournez à droite sur la 138.

• À 40,5 km, une petite montée vous attend. Encore un effort!

• À 41,6 km, tournez à gauche sur la rue des Érables. Maintenez la gauche. Vous entrez dans la municipalité de Neuville.

• À 42 km environ, admirez à votre droite, la maison-bloc (les bâtiments de ferme sont rattachés à la maison; point de repère: c'est à côté du 294, rue des Érables). Continuez sur la rue des Érables.

La maison-bloc regroupait sous le même toit maison, poulailler, porcherie, étable et garage. Lors des hivers rigoureux, il était plus facile de traverser les ports pour traire ses vaches ou pour nourrir ses poules que de s'habiller pour sortir. Même si les Bretons optaient fréquemment pour cette solution dès le Moyen Âge, aujourd'hui on ne construit plus ce type d'habitation, notamment pour des raisons d'hygiène et de sécurité. Il suffisait que le feu prenne dans l'une des pièces pour que tout soit incendié!

• À 44,8 km, vous arrivez au stationnement de l'hôtel de ville. C'est la fin du circuit.

© Francine Saint-Laurent

ATTRAITS

- **Parc familial des Berges**
  10, route 138
  Donnacona (Québec) G3M 1B2
  418 285-5655

© Francine Saint-Laurent

POUR EN SAVOIR PLUS

**Bureau d'accueil touristique de
Deschambault-Grondines**
(Saisonnier)
55, chemin du Roy
Grondines (Québec) G0A 1W0
418 268-3735 ou (sans frais)
1 800 409-2012
www.tourisme.portneuf.com
tourismeportneuf@cldportneuf.com

Guide touristique régional officiel
(Région de Portneuf)

Remerciements

Je tiens à remercier de tout cœur les municipalités et les photographes qui m'ont fait don de leurs images, ainsi que les personnes qui m'ont généreusement accordé leur aide lors de l'élaboration de cet ouvrage : Patrice Poissant (Tourisme Québec), André Demers (Galerie Relais des Arts, à Standbridge East), Pascale Dumont-Bédard (conseillère en promotion touristique, chargée de projet et gestionnaire de la Maison régionale touristique du Bas-Saint-Laurent), Marie-Claude Giroux (coordonnatrice initiative de réseautage et de partenariats de Héritage Bas-Saint-Laurent), Denis Bessette, Armande Germain, Diane Legault et Yvan Turcotte.

Saviez-vous que?

Vous pouvez, à titre individuel, contribuer à préserver la beauté de nos villages patrimoniaux et de nos quartiers historiques. Comment? En adressant vos commentaires aux autorités municipales de la ville ou du village concerné quand vous constatez qu'un nouvel édifice, un bâtiment moins récent, une enseigne lumineuse ou tout autre élément nuit à la beauté ou au cachet des lieux.

Pour obtenir les adresses des hôtels de ville, nous vous invitons à consulter le site Web ci-dessous ou à faire parvenir vos commentaires à l'Association des plus beaux villages du Québec, qui se fera un plaisir de les acheminer pour vous au destinataire.

Site Web : www.mamrot.gouv.qc.ca